战争

[英]肖恩·亚瑟 编著
杜菁菁 译

【版权所有,请勿翻印、转载】

湖南省版权局著作权合同登记图字:18-2022-040

Copyright © Shaun Usher, 2020. First published in Great Britain in 2020 by Canongate Books Ltd. Copyright licensed by Canongate Books Ltd., arranged with Andrew Nurnberg Associates International Limited. Art direction and design: Rafaela Romaya, 'Letters home' illustration © Andy Singleton. Simplified Chinese edition copyright 2022 by Hunan Fine Arts Publishing House Co., Ltd in association with Penguin Random House North Asia. All rights reserved.

本书仅限中国大陆地区发行销售

 "企鹅"及其相关标识是企鹅兰登已经注册或尚未注册的商标。
未经允许,不得擅用。
凡无企鹅防伪标识者均属未经授权之非法版本。

图书在版编目(CIP)数据

见字如面. 战争 /(英)肖恩・亚瑟 (Shaun Usher) 编著;
杜菁菁译. —长沙:湖南美术出版社,2022.9
书名原文:LETTERS OF NOTE: WAR
ISBN 978-7-5356-9797-4

Ⅰ. ①见… Ⅱ. ①肖… ②杜… Ⅲ. ①书信集—世界
Ⅳ. ①I16

中国版本图书馆CIP数据核字(2022)第076186号

见字如面. 战争

JIAN ZI RU MIAN. ZHANZHENG

出版人:	黄 啸
编 著:	[英]肖恩・亚瑟
译 者:	杜菁菁
策 划:	王柳润 瞿 力
责任编辑:	潘旖妍 姚 帆
责任校对:	何雨虹
出版发行:	湖南美术出版社
	(长沙市东二环一段622号)
经 销:	湖南省新华书店
印 刷:	湖南省众鑫印务有限公司
	(湖南省长沙市长沙县榔梨街道梨江大道20号)
开 本:	787mm×1000mm 1/32
印 张:	4.375
版 次:	2022年9月第1版
印 次:	2022年9月第1次印刷
书 号:	ISBN 978-7-5356-9797-4
定 价:	28.00元

邮购联系:0731-84787105 邮编:410016
网址:http://www.arts-press.com
电子邮箱:market@arts-press.com
如有倒装、破损、少页等印装质量问题,请与印刷厂联系调换。
联系电话:0731-86807567

2009年，一个庆祝书信这种老式通信方式的网站"lettersofnote.com"上线，"见字如面"计划随之诞生。从那时到现在，该网站已被访问超过一亿次。《见字如面》的第一卷于2013年10月出版。同年晚些时候，我们又举办了第一次"书信现场"活动，让世界顶级表演者为听众们现场朗诵精彩书信。

从此，"见字如面"和"书信现场"这对"孪生姐妹"并肩成长，前者火遍全球，后者在世界各地的许多标志性场馆举办：从伦敦的皇家阿尔伯特音乐厅，到洛杉矶的王牌酒店。

如欲获取更多详情，可访问"lettersofnote.com"和"letterslive.com"。现在，"见字如面"的最新系列还有了音频版可供收听。我们的朗读者阵容人才济济，选自广受好评的"书信现场"演出的固定表演班底。

目　录

前言 　　　　　　　　　　　　　　　　　　　3

信件 01　**战争中不会有希望**　　　　　　　　　8
　　　　　库尔特·冯内古特致征兵组

信件 02　**我将昂首赴死**　　　　　　　　　　11
　　　　　布兰卡·布里萨克·巴斯克斯致
　　　　　她的儿子恩里克

信件 03　**一场战役的历史**　　　　　　　　　14
　　　　　威灵顿公爵致
　　　　　约翰·威尔逊·克罗克

信件 04　**他们必须自由**　　　　　　　　　　17
　　　　　莫里斯·法兰克拉比致他的儿子亨利

信件 05　**我会把他们赶走**　　　　　　　　　20
　　　　　贝汉津国王写给
　　　　　阿尔弗雷德 - 阿梅代·多兹

信件 06　**让舰队和军队束手无策**　　　　　　22
　　　　　马克·吐温致尼古拉·特斯拉

I

信件 07	**我的士兵弟兄们没有啤酒了**	27
	公元 1—2 世纪	

信件 08	**写下这些话令我心痛不已**	29
	埃莉诺·温比什致她的儿子	
	威廉·里德·斯托克斯	

信件 09	**我们与你们心连心,共同面对悲伤**	35
	英国的女性与德国、奥地利的女性	

信件 10	**欧洲万岁!**	41
	贾函·辛格致萨达·哈尔班斯·辛格	

信件 11	**原子弹之雨将更猛烈地袭来**	44
	路易斯·阿尔瓦雷茨致嵯峨根辽吉	

信件 12	**我们必须仇恨他们吗?**	47
	克努特·弗兰克森致友人	

信件 13	**战争是残酷的,你无法让它变得良善**	53
	詹姆斯·M.卡尔霍恩、E.E.劳森和	
	S.C.威尔斯致威廉·特库赛·谢尔曼	

信件 14	**战争之神**	62
	霍雷肖·纳尔逊子爵致	
	艾玛·汉密尔顿夫人	

信件 15	**筋疲力尽但兴奋不已**	65
	琼·万德雷致妹妹贝蒂	
信件 16	**尊重它，并让它永存于心**	71
	汤姆·奥沙利文致儿子康纳	
信件 17	**请放过它吧**	74
	波比、莱昂内尔和弗里达·休利特致赫伯特·基奇纳勋爵	
信件 18	**最非同寻常的场面**	78
	雷金纳德·约翰·阿姆斯上尉致妻子	
信件 19	**我们将战胜康沃利斯和他的军队**	84
	亚历山大·汉密尔顿致妻子伊丽莎白	
信件 20	**为什么我们不能得到士兵的报酬？**	87
	詹姆斯·亨利·古丁致亚伯拉罕·林肯总统	
信件 21	**这是真事**	93
	伊夫林·沃致劳拉·沃	
信件 22	**祖鲁人一下子扑了上来**	96
	亨利·库林中尉致他的母亲	

信件 23	**这些事情对我而言不是小事**	104
	罗德尼·R.查斯坦特上尉致他的父母	
信件 24	**以全人类的名义**	108
	莫罕达斯·甘地致阿道夫·希特勒	
信件 25	**含的子孙**	115
	M.W.萨德勒致《自由民》报纸	
信件 26	**一切都要完了**	119
	玛莎·盖尔霍恩致埃莉诺·罗斯福	
信件 27	**我已在此为国奋战**	123
	约翰·杜斯伯里致他的母亲	
信件 28	**睡个好觉,我的爱人**	125
	布赖恩·基思致戴夫	

一封信是一枚定时炸弹，是一条瓶中信，是一句咒语，是一声呼救，是一则故事，是一段关切的表达，是一次爱的递送，是一种通过文字互相联结的方式。今天，这种简单且非常大众的艺术形式仍是一种有力的沟通手段。不管我们正经历什么样的技术革命浪潮，书信都不会消失，它会像文学一样永远存在。

前　言

战争催生了人性的极端面貌：在暴力、屠杀和毁灭中，它揭示了我们最恶劣的一面；在勇敢、忠诚和无私的行为中，则展现了我们最美好的一面。对于士兵而言，有时他们需要远渡重洋，身边都是和他们自己一样经过特殊训练的陌生人，经过精准调校的战争机器从他们的头顶掠过，每一天、每一秒都有可能是他们生命中的最后一天、最后一秒。对于他们留在故乡的家人、朋友和所爱之人而言，恐惧来源于失去联系与不知情，而这些人正是士兵们冒着生命危险出征的原因所在。

对于士兵和留在家乡的人来说，信件可以成为他们之间的桥梁。士兵被剥夺了一切珍贵的人与物，一封来自家乡的信可以让他们回忆起远离杀戮的和平生活,或者成为与某个远在天边、难以触及的世界的唯一联结。拿起一个写着熟悉笔迹的信封,或者看到一个战前的邮政地址,这些简单的行为能够为黑暗的地方带来温暖和光明。来自战争前线的信件可能不会带来多少安慰,却是生命尚存的重要标志,它们消弭了通信者之间的距离,在读信的一瞬跨越了他们之间的千山万水。

简而言之,一封信能够蕴含巨大的力量,如果每天只需几分钟就能让时常面对痛苦和屠杀场面的军人获得些许慰藉,在生死存亡的时刻提振士气,那真是再好不过的事了。

这就是为什么在第一次世界大战期间,英国军队邮政部门竭尽全力为西线士兵收发了20亿封信件,他们充分意识到了这种交流方式——通常也是士兵拥有的唯一与外界的交流方式——带来的心理助益可能会决定胜败。这也是为什么在美国南北战争期间,邮政局长蒙哥马利·布莱尔将军通过使邦联邮票贬值,并将所有寄往邦联营地的信件退还给发件人,让邦联军队几乎无法与亲人通信——这是一种残酷却有效的策略,起到了进一步孤立和打击对手的作用。

但是,战争通信除了振奋精神之外,还有一个重要的目的:为那些没有被报道过的战斗提供文献证据,从而为后代留下第一手的战争记录。这些战争改变了历史,很可能以各种各样的方式影响了后人以及他们祖先的生活。幸而,世界各地有许多档案馆和博物馆都致力于保存这些文件,历史学家才能够追溯我们的过去,填补毁坏性战争常常会留下的文字空白。如果没有这些信件,我们对祖先和我们自己的了解就会大大减少。

《见字如面:战争》是这些片刻的集锦,这本书是一场书信的庆典,收录了描述从公元1世纪到现代那些对世界影响深远的战争的信件。在随着书中的描述穿越于战争前线与后方的旅程之中,你会读到军队将军的信、来自前线的信、随军护士的信、爱人之间的信、记者的信。你会读到一名垂死的士兵写给母亲的最后一封信;在原子弹夷平长崎前几分钟,一架轰炸机从日本上空投下的一封信;一匹小马的年轻主人和战争大臣之间一次令人振奋的交流。当你读到来自罗马统治时期的英国的一些日常信件时,你会意识到,一切并未发生多少改变。没有哪种情感未曾在信中有所表达。

在全球各地来来往往的数亿封信件之中,这些信件仅仅是九牛一毛，绝大多数都正在阁楼里积灰，永远不会见到天日。下次爬上阁楼的时候，请把它们从盒子里拿出来，让它们呼吸一下新鲜空气。它们可能有故事要讲给你听。

肖恩·亚瑟

2020 年

The Letters

—— 信件 01

战争中不会有希望
库尔特·冯内古特致征兵组
1967 年 11 月 28 日

只要有战争,就有拒绝服兵役的人——这些人基于自身的道德或宗教原则,拒绝参军入伍——最早的拒服兵役者可以追溯到公元 295 年。根据记录,特贝萨的马克西米利安曾拒绝进入罗马军队服役,而后不久他就被斩首。1965 年到 1970 年间,大约有 16 万人曾经试图逃避与越南战争相关的兵役,其中就包括著名小说家库尔特·冯内古特的儿子马克·冯内古特。马克尝试通过正当途径申请免于服役,同时,他的父亲决定通过写信给征兵组来增加儿子申请成功的可能性。

—— **信件正文**

1967 年 11 月 28 日

致 1 号征兵组,
兵役登记局,
海恩尼斯,马萨诸塞州。

先生们:

我的儿子马克·冯内古特的兵役登记在贵组。他现在正在申请被划归到"出于道德或宗教原因拒服兵役者"的类别。我完全赞成他的做法,这与我养育他的理念一致,从小我一直教育他憎恶杀戮。

第二次世界大战时,我曾是一名志愿兵。作为步兵队伍的侦察兵,我目睹了很多战斗场面,最后被敌军俘房了,在德国的战俘营里待了六个月。我有一枚紫心勋章,是名光荣退伍的士兵。我自认为有资格将我对于杀戮的看法传授给我的儿子。我甚至都不再狩猎或者钓鱼了。祖上传下来的几把枪也早已搁置生锈。

对于杀戮的看法是我的上帝与我之间的事。我不常参与有组织的宗教活动。我经常读《圣经》，用自己的方式传教。我写了几本书，表达了我对于那些认为杀戮很容易且合理的人们的厌恶。

饭前，我们会轮流做祷告。家庭成员都经常被要求对上帝赐予我们的恩惠心怀感激。马克现在的做法遵从了上帝的旨意，因为上帝之子绝不是好战之人。

拒服兵役与懦弱毫无关系。马克是一个身体强健、勇气十足的年轻人。他做这件事所需要的勇气——以及高尚品格——比我这辈子所拥有的都多。

我的家族在这个国家已经存续五代了。我的祖先为了逃离欧洲疯狂的军国主义和暴政，为了凭良心处世，才来到美国。他们和他们的后代一直都是好公民，并为美国人的身份感到自豪。马克也为自己是美国人而骄傲，而且，在我看来，他的的确确是一名一等公民。

他不会选择仇恨。

他不会选择杀戮。

他不会那么做。战争中不会有希望。

您真诚的

（小）库尔特·冯内古特

—— 信件 02

我将昂首赴死

布兰卡·布里萨克·巴斯克斯致她的儿子恩里克

1939 年 8 月 5 日

西班牙内战从 1936 年 7 月打响,持续两年八个月,造成了数十万人死亡。西班牙第二共和国的共和政府解体,取而代之的是弗朗西斯科·佛朗哥领导下的军事独裁统治,一直维持到 1975 年佛朗哥去世。在战争初期,死刑处决是司空见惯的事,战争结束后,这种情况仍然持续了一段时间,佛朗哥政权横行霸道,极力铲除有可能给他们带来麻烦的人。在战争结束后几周内的大清洗时期,十三位年轻女性(大部分都是社会主义青年团成员)被逮捕并处死,她们后来被称为"十三朵玫瑰"。1939 年 8 月 5 日早晨,她们被行刑队枪决。行刑前几小时,其中一位女性——29 岁的布兰卡·布里萨克·巴斯克斯——给儿子写了一封信。

—— 信件正文

我亲爱的儿子,我的宝贝:

在这最后的时刻,我想起了你。我只想到了我心爱的孩子,他如今已经是个年轻人了,而且和他的父母一样,拥有高尚的情怀。如果我做错了什么,原谅我吧,儿子。忘记那些事吧,儿子,忘记那样的我。你知道的,如果你记得的是那样的我,我会很难过。

我将昂首赴死。你要做个好人:你比任何人都清楚这一点,亲爱的恩里克。

我对你只有一个要求,永远做一个好人,一个极好的人。爱所有的人,不要记恨那些将你的父母处死的人。好人从不记仇,你一定要做一个勤奋的好人,要以你的爸爸为榜样。在我生命最后的时刻,亲爱的儿子,答应我好吗?你要和我亲爱的库卡一起生活,永远做她和我其他姐妹的儿子。当她们老了之后,照顾好她们。当你长大成人之后,要记得这份责任。多说无益。你的父亲和我面对死亡毫不畏惧。我不知道你的父亲是否已经忏悔和领圣餐,在面对行刑队之前,我没法再见到他了。至于我,我已经忏悔了。

恩里克，永远不要忘记你的父母。做好准备，虔诚地去领圣餐吧，一如我小时候那样。我想要一直给你写信，直到最后一刻，但是，现在我必须道别了。我最亲爱的儿子，再见。我永远爱你。

布兰卡

—— 信件 03
一场战役的历史
威灵顿公爵致约翰·威尔逊·克罗克
1815 年 8 月 8 日

　　1815 年 6 月 18 日,大英帝国和普鲁士王国的军队在比利时的布赖讷拉勒会师,随后在滑铁卢之战中击败法国人,结束了长达十二年的拿破仑战争。8 月,即威灵顿公爵指挥英国人获得胜利的两个月之后,海军部长约翰·威尔逊·克罗克联系了他。这场战争具有重大历史意义,拥有政治家和作家双重身份的克罗克希望能发表一篇关于此战的详细报道。克罗克理所当然地认为应该写信给这次战役的最高指挥——他的视角比大多数人更广——询问他对于这场伟大战争的看法。这是威灵顿公爵的回信。

—— **信件正文**

> 1815 年 8 月 8 日，巴黎

尊敬的先生：

我收到了您 8 月 2 日关于滑铁卢战役的致函。您为自己所设定的目标极难达成，即使达成也将引起很大的反感。一场战役的历史和一场球赛的历史有些相似。有些人可能会想起最终导致战争胜利或失败的所有细节事件，但是没有人能记得那些事件发生的顺序或时间，而它们的价值和重要性却往往取决于此。

此外，某些人的错误或不当举动会让另一些人得以表现出色，或者会导致物质上的损失；如果不能谈及哪怕是其中一部分参与者的错误和不当举动，您就无法写出真实的战役历史。

相信我，您看到的每一个身穿军服的人都不是英雄；而且，在对于战争的报道中，就像滑铁卢战役，很多个人的英勇事迹会被略去不表——为了顾全大局，最好省略那部分故事，而不是讲述全部事实。

不过，如果您仍然认为应做此事，我愿意尽一切所能为您提供帮助和信息。

相信我。

威灵顿

—— 信件 04

他们必须自由

莫里斯·法兰克拉比致他的儿子亨利

1944 年 5 月 1 日

    第二次世界大战期间,为了击败纳粹德国、意大利和日本,约有 150 万犹太人加入盟军,因此,近 300 名拉比也加入了军队,无论在前线还是集中营,哪里需要犹太拉比的支持,他们就奔赴哪里。第四步兵师的莫里斯·法兰克是最早来到德国为军队服务的拉比之一。他于 1906 年出生在美国田纳西州的查塔努加,1935 年,美国犹太神学院为他授予圣职。法兰克不知疲倦地工作,不仅为他所在步兵师的犹太教教徒建立联系、提供慰藉,而且还服务于信仰其他宗教的士兵,人们都非常感激他所做出的努力。1944 年 5 月,在诺曼底登陆前几周,法兰克想起他的家人,于是提笔写下很多封信件,寄往家中,其中这一封是给他年轻的儿子亨利的。

—— 信件正文

1944 年 5 月 1 日

亲爱的儿子：

几天前我又去学校探望难民儿童了。你记得吧，我给你写过关于这个学校的事，里面的男孩和女孩来自欧洲各地。这些儿童流离失所，食不果腹。残忍的纳粹轰炸了他们的城市，让他们无家可归。我知道你会想要帮助这些孩子，所以我去看望他们，带了一些果汁、糖果、饼干和口香糖。这令他们非常高兴。看到他们这么高兴，我就想起了你。感谢上帝，亨利，你生活在美国。你可以通过确保美国的自由——确保每个人都拥有自由——来表示你的感激。这场战争结束之后——你长大以后——会有很多事需要做，你必须学会怎么做。你的工作将是帮助全世界的人们维护和平。世界能否再无战争，将取决于你是否能承担起这份职责。亨利，你一定要永远记住，每一个孩子——无论是印度儿童、中国小男孩，还是乌克兰农民的孩子，无论他是缅甸小孩、我们的佃农的孩子，还是欧洲贫民窟里的犹太儿童，他们都必须自由，他们必须拥有食物。他们必须能够自由思考、表达，去做他们认为正确的事情。这是一项艰巨的任务，儿子，但是我知道你能为此做出贡献，而且我也希望你能做一个有用的人。

亨利，你无法想象我在得知你去查塔努加看望爷爷奶奶之后有多高兴。你一定让他们的逾越节过得很愉快。你妈妈对我而言是那么珍贵——

我突然想起，儿子，你有没有好好照顾你的母亲？你知道，我们都认为她是最棒的，是全世界最好的妈妈。眼下我不在身边，照顾她的工作就交给你了。务必让她心情愉快，不要让她感到孤单。偶尔告诉她你爱她，还有，告诉她，爸爸也非常爱她。

我给你寄了几张照片。这些是寄给我唯一的儿子，由你唯一的父亲寄出。

替我给妈妈一个大大的拥抱和亲吻。替我亲吻你的奶奶。我将全部的爱都寄予你——

你的爸爸
莫里斯

—— 信件 05

我会把他们赶走

贝汉津国王写给阿尔弗雷德 - 阿梅代·多兹

1892 年

1889 年,贝汉津继承父亲的王位,成为达荷美王国的国王。该王国位于西非,以令人闻风丧胆的"达荷美亚马孙女战士"闻名。这个由五千名女战士组成的强大兵团于 17 世纪晚期建立。"亚马孙女战士"一直存续到 1892 年至 1894 年的第二次法国与达荷美的战争期间,最后贝汉津投降,达荷美成为法国殖民地,在法国人的统治下,亚马孙女战士兵团终于解散。问题最初出现在 1890 年,贝汉津拒绝履行父亲多年前签署的一项条约。两年后,矛盾日益激化,达到了爆发点,他收到法军指挥官阿尔弗雷德 - 阿梅代·多兹要求投降的照会。这封信是贝汉津充满挑衅的回复。之后多兹立即宣战,亚马孙女战士完全不是法军的对手。

—— **信件正文**

法国想要战争。她要知道,我比父亲更强大、更坚决。我从未对法国做出任何会招致她对我宣战的事。我从未去过法国,也没有玷污任何法国人的妻子或女儿。如果他们想要占领海岸地区,我会砍掉所有的棕榈树。我会给他们下毒。如果他们没有吃的,就让他们去别处吧。其他任何国家,德国、英国、葡萄牙,都能进入我的王国,唯独法国人不能,我会把他们赶走。我是白人的朋友,如果他们希望与我会谈,我愿意盛情款待,但是如果他们想打仗,我将奉陪到底。

—— 信件 06
让舰队和军队束手无策
马克·吐温致尼古拉·特斯拉
1898 年

1898 年 4 月,"缅因"号军舰在哈瓦那海港沉没之后,美国开始介入古巴反抗西班牙殖民者的独立战争,为期四个月的美西战争爆发,导致上千人伤亡。在这一历史背景下,纽约的麦迪逊广场花园举办了一场电气博览会,该行业的领军人物在会场骄傲地展示了他们的最新发明。其中一位发明家就是"电力之父"尼古拉·特斯拉,他带来一艘 1.2 米长的小船,遥控它在一个室内的小池塘里绕圈航行,使它看起来像是在自动行驶,围观的观众们一脸困惑。这艘无线电控制的小船是一项突破性的发明,关于它的新闻迅速传播开来,很多人开始想象它在军事方面的应用。此后不久,特斯拉在同年内向《纽约先驱报》的记者展示了这项新科技,这位记者目瞪口呆,写了一篇题为"特斯拉宣称将废除战争"的报道。接着,咨询专利的信件从世界各地纷至沓来,其中有一封希望和特斯拉进行商业合作的信件,来自维也纳,寄信人是他的朋友马克·吐温。

—— **信件正文**

1898 年 11 月 17 日

克兰茨酒店

维也纳 / 新市场 6 号

亲爱的特斯拉先生：

  关于那件颇具破坏力的发明，你有奥地利和英格兰的专利吗？如有，你可否将其标价，让我代理销售？我认识这两个国家的内阁大臣以及德国的高官，我还认识威廉二世。

  目前来看，我会在欧洲待一年。

  一天晚上，几个志趣相投的朋友在这间酒店里讨论如何说服某些国家加入俄国沙皇的阵营、解除武装，我建议他们去寻找比脆弱的纸质合同更可靠的方式——比如邀请伟大的发明家们设计出某种让舰队和军队束手无策的东西，这样战争就不可能再发生了。我相信你已经在致力于这项事业，并准备通过一种实际可行的、强制性的手段，让地球彻底解除武装，从此步入永久的和平时代。

  我知道你是个大忙人,不过你能不能抽空回我一封信?

你真诚的

马克·吐温

我相信你已经在致力于这项事业,并准备通过一种实际可行的、强制性的手段,让地球彻底解除武装,从此步入永久的和平时代。

———马克·吐温

—— 信件 07

我的士兵弟兄们没有啤酒了
公元 1—2 世纪

  1973 年,在英格兰的哈德良长城(罗马帝国的北部边境)附近工作的考古学家们发掘出第一批文德兰达木牍。这批公元 1 世纪末的木牍包括数百块薄薄的以墨水写就的木片,木片上用旧式罗马书写体呈现出一封封简短却颇有见地且意义重大的信件。直至今日,在古罗马文德兰达堡垒遗址仍然不断地发掘出新的木牍,其中许多木牍记述了动荡时期在那里征战的士兵们的生活,虽然是两千年前军营生活的片段,现在看起来却十分熟悉。

—— **信件正文**

英国兵不穿盔甲。骑兵甚众。但骑兵不持剑,骑马亦不是为掷标枪,英国佬真可悲。

* * *

我给你寄了……几双萨图阿的袜子、两双凉鞋和两条内裤,那两双凉鞋……问候……尼得斯,厄尔庇斯,尤……恩努斯,泰特里库斯以及你的同桌餐友们,衷心祝愿你们好运。

* * *

马斯库留斯向国王希瑞阿里斯致敬。恳请我王指示明日任务。我军将全军举旗返还,抑或留一半人马?……非常幸运,愿意支持我。我的士兵弟兄们没有啤酒了,请您遣人送一些来。

—— 信件 08

写下这些话令我心痛不已

埃莉诺·温比什致她的儿子威廉·里德·斯托克斯

1984 年 2 月 13 日

1969 年,美军中士威廉·里德·斯托克斯在越南乘坐直升机执行任务时不幸牺牲,年仅 21 岁。他的名字被刻在华盛顿特区的越战纪念碑的第 32 号花岗岩石板上,以纪念这位为国捐躯的年轻人。他去世很多年之后,在这块纪念碑前,仍然摆放着许多写给比利[1]的未邮寄的信件,他的母亲几十年如一日地给儿子写下这些信,放在石碑前、他的名字下方。这仅是其中的一封。

---

[1]. 比利(Billy)和信件中的比尔(Bill)是威廉(William)的常用昵称。——译者注(以下若无特别说明均为译者注)

—— 信件正文

亲爱的比尔：

今天是 1984 年 2 月 13 日。我又来到这堵黑色的墙边，看望你，触摸你的名字。当我这么做的时候，我想，是否有人在这里停留时曾意识到，在这面黑墙上、在你的名字旁边，挂着你母亲的心。15 年前的今天，你在越南失去生命的那天，这颗心彻底破碎了。

我看着你的名字，威廉·里德·斯托克斯，想到我曾经那么、那么多次担心，你在那个名为越南的陌生国度，会有多么害怕、多么想家。我想知道，那个国家是否改变了你，它将你变成什么样了呢？你曾经是世界上最无忧无虑的小孩，几乎从未感到难过或不高兴。你在我的心目中将永远展露笑颜，直到我死去的那一天。就连我对你很生气的时候，你也在笑，我还没反应过来，就和你一起哈哈大笑起来。

不过，在不久前的元旦那一天，我已经得到了答案，我与你在密歇根州的朋友通了电话，他陪你度过了最后一个圣诞节和你生命的最后四个月。吉姆向我讲述了你是怎样死的。他当时在现场，目击了直升机坠毁时的情景。他告诉我,你已经完成了任务配额,那天乘机的不该是你。而且,当天直升机的常规飞行员不能飞,只好让一个没多少经验的人代替。他们都不知道直升机失事的原因,不知道是被敌军击中了,还是撞了柱子或者别的东西。直升机的螺旋桨叶片穿过机体击中了你。事故发生半小时后,你离世了,但是这段时间内你已经失去意识,所以并不感到痛苦。

他说,你们的任务就像当活靶子。你们会被派去将敌军吸引到空旷的地带,随后大炮和战机会接替你们上阵。执行任务期间,你们之中的许多人都阵亡了。

他告诉我,在那里待了一段时间后,人非但不会变得胆小怯懦,反而会变得愈加暴躁易怒。每过一天,每个人的脾气都会变得更坏一点。唯独你不会,比尔。他说,你一直都像刚到越南时那样无忧无虑。他说,你的热情和友善有一种吸引力,将大家聚在你身边。你们的上尉给你起了个昵称叫"史班奇",很快,你的小团体的成员(包括吉姆在内)就成为著名的"史班奇小队"。你的死让他们难过极了,因为你是他们的精神支柱。他还说,你是所有人之中最不该离去的那个。

哦，上帝啊，写下这些话令我心痛不已。但是我必须面对这些事实，然后才能安心。我知道，吉姆给我讲过一遍之后，他肯定会重新回想起过去的那些事，重新经受那种痛苦。在挂掉电话之前，我告诉吉姆我爱他。我爱他，因为他成为你亲密的朋友，与你共同度过了生命的最后几天，在你去世前还陪伴着你。你有他作为朋友，他也有你，你们何其幸运。

同一天晚些时候，我接到了来自蒙大拿州比林斯的一位母亲的电话。一年前，她失去了唯一的女儿。她需要找人倾诉，人们都不愿意听她讲述自己的悲剧。她说，新年前夜她在CNN电视频道看到了我。我在圣诞节给你写了一封信，放在这座纪念碑前，引起了报纸和电视媒体的注意。她说她整天都在想着我，觉得必须跟我聊一聊。她给我讲了她的痛苦，似乎需要我来帮她渡过难关。这位心碎的母亲的故事让我流下了眼泪，挂了电话后，我为她埋头放声痛哭。这是一位为自己成年的女儿去世而悲伤的母亲，她打电话来寻求我的帮助。我一边抽泣一边想，我尚未彻底走出自己的悲痛，又如何能够帮助她呢？

有人告诉我，我给你写的那些放在这座纪念碑前的信，如同一声警钟，提醒了人们，许多年过去了，而越南战争留下的伤痛还远未消失。

不过,我知道这一点:我宁愿有你在身边陪伴 21 年,然后忍受着失去你的所有痛苦,也不愿从未生养过你。

妈妈

我一边抽泣一边想,我尚未彻底走出自己的悲痛,又如何能够帮助她呢?

——埃莉诺·温比什

—— 信件 09

我们与你们心连心,共同面对悲伤
英国的女性与德国、奥地利的女性
1914 年圣诞节

1860 年出生在康沃尔的社会活动家艾米莉·霍布豪斯于 20 世纪初崭露头角,她在第二次布尔战争期间去南非旅行,让英国公众知晓被关在那里的集中营的众多女人和儿童的困境。为此她组织相关活动、募集资金,勇气可嘉,而且不知疲倦。多年后,第一次世界大战打响,她同样积极地开展类似的活动,随着 1914 年临近尾声,为了促进和平,霍布豪斯写下了这封致德国和奥地利所有女性的公开信,获得了 100 名其他妇女参政论者的签名支持。这封信刊登在国际妇女选举权同盟出版的杂志《选举权》上。三个月后,这本杂志上刊登了一封由来自德国和奥地利的 155 名女权主义者署名的回信。

—— **信件正文**

致德国和奥地利的女性：

姐妹们：

  在这悲伤的圣诞节期间，我们想给你们写一些话，不过我们只能通过媒体发布。在一个硝烟四起的世界发送圣诞节祝福听起来很愚蠢，不过，我们之中那些一直期盼和平的人士确实应当向你们之中怀有同样心愿的人士郑重地送去祝福。我们不能忘记，正是痛苦让我们团结一致，我们正在经历同样的哀痛与悲伤。

  在这糟糕的情境下，我们能做什么呢？身处如同暴风雨中的大海一样动荡的战争年代，我们只能将自己锚定于一处安宁的海岸，那里矗立着如同磐石般不可撼动的永恒真理——爱，和平，人与人之间的手足情谊。

  请你们相信，无论发生什么，我们都会坚信国家之间应保持和平友好的关系。尽管我们看上去是在反对政府，但我们效忠于更高的律则，那就是人类应当和平共处。

尽管我们的儿子被送去互相残杀，我们因命运的残酷而心碎不已，但是这种极致的痛苦让我们得以团结在共同的女性身份之下。这场战争因为献祭了最优秀的生命而成为一场悲剧，然而我们不会感到怨恨，也不会用仇恨去玷污他们的英勇牺牲。各方已经做出了很多应当被深刻谴责的事，我们是否也应当继续坚定地拒绝相信那些各方为一己之利而随意编造的虚假故事？

我们正在竭尽全力为我国境内的贵国民众和战犯争取从轻处置，希望这一点能够安抚你们焦虑的心情，我们也同样需要依靠你们的善心去保护我们在德国和奥地利的人民。

你们是否与我们一样，认为敌对军队之间的相互厮杀是人类文明和基督教历史上的污点，并且一想起那些被战火夷为平地的地区，无论在西方还是东方，那些无辜的受害者——无数女人、孩子、婴儿、老人和病人，正在面临饥饿、疾病和死亡的威胁，就感到一种深刻的恐惧？

我们在南非和巴尔干半岛看到了现代战争对普通百姓造成的冲击，任何有良知的世人都无法直视那样悲惨的景象。

保护生命难道不应该是我们的职责吗?人性和常识难道不正在推动着我们与中立国的女性朋友们联手,敦促我们的领导人停战、避免更多的流血牺牲吗?

无论多么大规模的救济,都只能帮助很少数的人。看到无助的人们成千上万地死去,我们又如何能坐视不管呢?如果我们觉醒了,以人类的名义去救助他们,他们就不必死去。我们只有一种方法,我们必须携手,诉诸智慧与理性,敦促各国休战。最终决定事态走向的正是智慧与理性,为了拯救女性、儿童,还有欧洲的男性同胞们,我们应当尽早开始行动。

尽管身处硝烟之中,我们仍然心怀诗人的愿景,我们好似已听闻:

> *千族万国都异口同声地宣誓:*
> *善良的自由人必将和睦共处,相互爱惜!*[1]

希望圣诞能让那一天尽快到来。地球上的和平已经不复存在,但让我们重拾和平之信念,圣诞节将让你们、我们以及所有女性同胞更加紧密地团结起来,

---

1. 节选自雪莱:《伊斯兰的起义》,王科一译,上海译文出版社,1978年,142页。

为恢复和平而奋斗。

我们与你们心连心,共同面对悲伤。

【艾米莉·霍布豪斯及其他100人署名】

* * *

对于圣诞节致德国和奥地利所有女性公开信的公开回复:

致同根同源的英国姐妹们,我们近期才阅知此信,谨代表众多德国女性对你们的圣诞祝福致以衷心的感谢。

这封信证实了我们的预期,即敌对国家的女性能够超越对祖国的忠诚与热爱,与敌国的女性团结一心。再者,真正有文化的女性永远不会失去人性。

如果英国女性能够对各国人民一视同仁,切实减轻人们的痛苦和悲伤,缓解焦虑,那么请她们接受德国女性最热忱的感激,我们将心比心,承诺将与她们做出同样的行动。在战争时期,我们被参战各国人民共同承受的、难以名状的痛苦凝聚起来,各国的女性都热爱正义、文化与美,而战争却将一切毁灭殆尽。各国的女性都仇恨战争中的暴力、残忍行径及其造成的毁坏。

　　作为生命的创造者和守护者，女性势必憎恶摧毁生命的战争。各国众多女性之间的姐妹情谊如同明日的曙光，穿过敌对双方战争的硝烟和炮火的轰鸣，穿过死亡、恐惧、毁坏、无尽的痛苦和忧虑，照亮一个更美好的未来。

　　望女性情谊为德国、英国和其他国家之间的友好关系打下无法撼动的根基，最终为各族人民建立起一道强有力的国际准则，让欧洲的人民永远不再陷入战争之中。

　　向与我们感同身受的英国姐妹们致以最热情的祝福！

—— 信件 10

欧洲万岁!

贾函·辛格致萨达·哈尔班斯·辛格

1916 年 7 月 25 日

第一次世界大战开始后几个月,正值征兵高峰期,英属印度陆军号称拥有 548311 名愿意为大英帝国出生入死的士兵;四年后,战争结束时,已有超过 100 万印度士兵自愿参战,其中 75000 人英勇牺牲。毫不夸张地说,如果没有他们的参与,这场大战的结果可能会截然不同。仅驻扎在欧洲的印度士兵每周寄出的信件就超过一万封,下面仅是其中的一封。1916 年 7 月 25 日,一位驻扎在法国的锡克教印度士兵在一封家信中描述了当时的战争情况,他的名字叫贾函·辛格,从属于第十八枪骑兵团。这封信的原文为乌尔都语。

—— **信件正文**

1916年7月25日

第十八枪骑兵团
法国

目前,战争的暴力程度已经达到了无法想象的地步。炮兵部队每秒发射数千枚炮弹,多到数不过来,至于步枪射击的强度则更是完全无法估量。下雨时,总是能看到几处没有被淋湿地方,却没有任何一寸土地能免于步枪、炸弹和炮火的狂轰滥炸。如果按照每平方英寸(约6.5平方厘米)的地面上有5次射击来估算炮火的密度,那么很可能比较接近实际情况。敌军现在开始让步了。他们的损失十分惨重。机枪和大炮开火的频率甚至高于人们牙齿打战的频率。

我们的勇士们所付出的努力应当为世人所知。如果人们看到我们的所作所为,就会忘记波拿巴的成就。我们的英雄怎样不顾性命地冲锋陷阵,碾碎敌人的头颅啊!一支又一支豪情万丈的军队,如同魔术师那随着笛声起舞的蛇,随节奏行进,然后猛然突袭。

从未有人演奏过如此令人陶醉的音乐。浩浩荡荡的大军稳步向前推进，如同一头沿着公路行走的大象，轻轻地左右摇摆，凸显出士兵的英勇气概，就连敌军也一定赞赏不已。这场战争造就了成千上万位英雄，他们与波拿巴一样勇武而伟大。上天为我们的战士流泪不止，他们是多么杰出的勇士啊！欧洲万岁！你的英勇之名自古以来就已传遍世界！

我该怎样向你描述这场战争呢？这里发生的事情让旁观的世界为之震惊。唉，可惜由于某些规定，我无法写得更详细，否则我会告诉你很多事件的详尽始末，细读之一定会让你的灵魂燃烧起来。

—— 信件 11
原子弹之雨将更猛烈地袭来
路易斯·阿尔瓦雷茨致嵯峨根辽吉
1945 年 8 月 9 日

1945 年 8 月 9 日上午 11 时,在原子弹坠落在日本的一分钟之前(这是三天之内的第二颗原子弹),一架名为"艺术大师"的 B-29 轰炸机悄悄地从天上投下了三个金属罐。每个金属罐里装有一个美国物理学家路易斯·阿尔瓦雷茨设计的冲击波计量器和一封未署名的信。这封信由阿尔瓦雷茨和两位科学家同事共同写给日本核物理学家嵯峨根辽吉,他们曾经在伯克利共事,阿尔瓦雷茨请求他告知他的"领导们",他们的城市将面临"尽数毁灭"。一个月之后,嵯峨根辽吉才看到这封信,它在距被原子弹摧毁最严重的长崎 50 公里处被找到。四年后,阿尔瓦雷茨和嵯峨根辽吉再次会面,这封信终于被署了名。

―― **信件正文**

1945 年 8 月 9 日

总部

原子弹指挥部

致：嵯峨根教授

寄：您在美国期间的三位科学界前同事

我们向您寄送这封私人信件，是为了敦促您利用作为著名核物理学家的影响力，去说服日本参谋本部，让他们相信，如果继续进行这场战争，贵国民众将承担可怕的后果。

几年以来，您一直知道，如果一个国家愿意为必需的原材料付出高昂的成本，那么原子弹是可以造出来的。既然您已经目睹我们建设了生产车间，那么您心里一定很清楚，这些 24 小时运转的工厂的全部产出将用于轰炸您的祖国。

在过去的三周内，我们已经在美国的沙漠地带试引爆了一枚原子弹，向广岛投了一枚，并于今天上午发射了第三枚。

我们恳请您向领导们证实这些事实，并且尽全力阻止他们继续损毁和浪费生命，如果继续下去，只会导致贵国的全部城市尽数毁灭。作为科学家，我们对一个出色的发现被这样利用深感遗憾，不过我们可以向您保证，如果日本不立即投降，原子弹之雨将更猛烈地袭来。

> 向我的朋友嵯峨根辽吉
> 致以诚挚的问候
> 路易斯·阿尔瓦雷茨
>
> 最终签署于
> 1949 年 12 月 22 日

—— 信件 12

我们必须仇恨他们吗？

克努特·弗兰克森致友人

1937 年 7 月 6 日

1937 年 4 月，出生于牙买加的机械师克努特·弗兰克森离开底特律的家，前往欧洲加入亚伯拉罕·林肯营，这是一个希望在西班牙战争期间帮助人民击败佛朗哥和他的军队的组织，约有 2800 名美国志愿兵加入。抵达欧洲三个月后，弗兰克森给家乡的一位朋友写了一封掷地有声的信，想要解释为什么他身为一个黑人还要选择参加"几个世纪以来让我们沦为奴隶的两派白人之间的战争"。一年多之后，弗兰克森回到了家，遗憾的是，不久之后他就在一次道路交通事故中不幸丧生。众所周知，佛朗哥最终获得了胜利。他一直统治着西班牙，直到 1975 年去世。

—— **信件正文**

1937年7月6日

阿尔瓦塞特,西班牙

我亲爱的朋友:

我敢肯定,你还在等我详细解释这场斗争与我有何关系。这是一场白人之间的战争,他们几个世纪以来一直把我们当作奴隶,对我们施加各种侮辱和虐待,实行种族隔离;而我作为一个这些年来一直在为同胞的权利而奋战的黑人,今天却来到西班牙,究竟是出于什么原因。

因为我们不再是一个独自与无可匹敌的巨人进行无望的战斗的少数群体,因为,亲爱的朋友,我们加入了一支伟大的进步力量,成为其中的积极分子。一小群追逐权力到发狂的堕落分子策划了这场战争,而我们肩负着拯救人类文明免遭毁灭的责任。因为如果我们在这里击溃了法西斯主义,我们就能让身处美国和世界各地的同胞免于遭受犹太人民在希特勒的法西斯铁蹄下所经历的那些恶毒迫害、大规模监禁和屠杀。

我们只需想一想同胞们所遭受的私刑。我们只需回顾美国历史上那段痛苦的记忆，沾满了黑人的鲜血、散发着挂在树上的同胞们的尸体燃烧的臭味的回忆；饱受折磨的亲人的呻吟声令我们万分痛苦，耳朵、手指、脚趾从他们尚有感知的身体——被烧红的拨火棍穿刺的身体——上被切掉作为纪念品。这一切都是因为奴隶主在这些迫害奴隶的（白人）男女的头脑里灌输了一种仇恨，而奴隶主一边将他们和我们所有人一起踩在脚下，吸着我们的血，一边躺在通过剥削我们获得的利益之上安然入眠。

但是，对于这些如同饿狼般追捕我们的嗜血者，我们必须仇恨他们吗？我们必须不断地为奴隶主们点燃的这股怒火煽风添柴吗？这些服务于奴隶主的男男女女是否该为主人的计划，以及迫使他们陷入如此堕落境地的各种情境负责呢？我觉得不应该。他们只是那些无耻的奴隶主手中的工具。他们和我们一样饥饿，和我们一样生活困苦，衣衫褴褛。他们也被奴隶主掠夺，在一个腐朽肮脏的体系中抬不起头来。他们是与我们共患难的兄弟姐妹。很快，他们和我们都会明白这一点。很快，他们和我们之中将会出现许多个安杰洛·赫恩登[1]，带领我们对抗那些将生活建立在我们腐烂的血肉上的恶人。我们会将这些人一举击垮，建立一个新社会，一个和平与富足的社会。这个社会没有肤色分隔线，没有黑人专用车厢，也没有私刑。亲爱的朋友，这就是我为什么来到西班牙。

在西班牙的战场上，我们为维护民主制度而战。在这里，我们正在为世界和平、为黑人同胞乃至全人类的解放打下坚实的基础。在这里，我们正在进行人类历史上最激烈的斗争之一。这里没有肤色分隔线、没有歧视、没有种族仇恨，只有一种仇恨，那就是对法西斯主义的仇恨。我们知道我们共同的敌人是谁。西班牙人民是一个可爱的民族，对我们的经历非常同情。下次我会给你讲讲他们的情况。

我曾承诺不会进行说教，但从种种迹象来看，这封信似乎更像是一篇布道词，而不是给老朋友的信。但是，身处如此艰难的环境之中，我怎么忍得住呢？我试图写封亲密的信给你，但又很清楚自己越努力，越显得笨拙不堪。不过，你明白我的真心诚意，你拥

---

[1] 安杰洛·赫恩登（Angelo Herndon，1913—1997），非裔美国人，1932年试图在佐治亚州亚特兰大市组织黑人和白人工人进行抗议，后被逮捕并被判为煽动叛乱罪。

有智慧和耐心，这将让你理解和容忍我的所作所为。我相信，等我克服了这种压力后，很快就能够写出更亲密的信件来了。我意识到，我需要为自己的行为负责，这使我承受着巨大的压力。而且，我觉得我的所作所为让你很不愉快。

千万不要认为这场可怕的战争带来的压力或者我们之间的千里之距已经改变了我对你的感情。我们的友谊对我而言意义重大，现在仍然如此。我很重视我们之间的友谊，因为它建立在我们志同道合的基础之上。我会尽一切所能来维护它。

就算在天时地利的情况下，也没有人知道自己何时会死去。我作为一个现役的士兵，更是无从知晓死亡是远在天边还是近在眼前。不过，只要我还活着，就会一直和你保持联系。有时我走上前线，炮弹就落在我的身边，那一刻，我觉得死亡近在咫尺。回到基地后，我好像会从一个全新的角度看待生活。不知为何，生活变得更美好了。我会想到你、我的家人、我所有的朋友，继而开始比以往任何时候都更狂热地工作。为了打败法西斯恶兽，我们每个人都必须倾己所有。

在这一切结束后，我希望能与你分享我的快乐。

只有服务于意义重大的事业才能收获那种快乐,别无他法。我希望能够通过在这里为民主事业做出的奉献,来弥补我所犯下的错误。我愿你一切安好,企盼你能够原谅我,或许已经原谅了我。我衷心祝愿你生活幸福,希望当这一切结束后,我们能再次见面。如果某颗法西斯子弹让我不能如愿,请你不要担心。如果我在死去前一刻仍有意识的话,我想,我不会感到恐惧。我十分确定,我将为自己竭尽所能而感到满足。

未来的某天再会。在这里我永远不知道什么时候能有时间写信。

要做的事情太多,拥有时间太少。爱你。

祝你健康。

克努特

—— 信件 13

战争是残酷的,你无法让它变得良善

詹姆斯·M. 卡尔霍恩、E.E. 劳森和

S.C. 威尔斯致威廉·特库赛·谢尔曼

1864 年 9 月

1864 年 9 月,美国陆军上将威廉·特库赛·谢尔曼只有一个目标,那就是占领佐治亚州亚特兰大市,疏散人群,然后将其烧毁,从而摧毁南方邦联军队的基础设施、武器以及继续战斗的意志。自从尤利西斯·格兰特将军任命他在美国南北战争中指挥西部战区军队以来,他就因出了名的"焦土策略"被人们所惧怕。在他的军队缓慢而坚定地朝这座城市进军的路上,他们收到了市长詹姆斯·M. 卡尔霍恩的一封信,称市内的某些居民因为年纪太大或身体太弱而无法撤离。谢尔曼措辞激昂、对民众的困苦无动于衷的答复引起了轩然大波。他的部队很快就按照计划抵达了亚特兰大。

—— **信件正文**

1864年9月11日

亚特兰大,佐治亚州

致谢尔曼将军:

我们是亚特兰大市市长和议会的两名成员(见署名),暂时作为本市人民表达他们的需求和愿望的唯一合法机构,我们以最诚恳和恭敬的态度向您请愿,恳请您重新考虑要求市民撤离亚特兰大的命令。这项举措看上去将面临极大的困难,带来巨大的损失,不过我们已经开始执行命令。在执行过程中,我们看到了实际情况和市民的个人状况,鉴于我们听取了他们关于撤离城市的不便之处、造成的损失和随之而来的痛苦的陈述,且表达意见的市民如此之多,以至于我们意识到,综合来看,这项举措确实将导致令人震惊和心碎的后果。许多贫困的妇女正处于妊娠晚期,有些人正在抚养年幼的孩子,而她们中大部分人的丈夫不是参军了,就是被关起来了或者死了。有人说:"我家里有一个病重的人,我走后谁来伺候他们?"也有人说："我们该怎么办？我们没有别的房子可住，也没有办法购买、建造或租赁任何房子；没有父母、亲戚或朋友可投奔。"另一个人说："我会想办法拿走一两件财产，尽管我非常需要其他的东西，但也不得不把它们留下来。"我们回答他们："谢尔曼将军会把你的财产送到某地，然后由胡德将军接手。"他们会回答说："但我想在某站下火车，从那儿开始就没有能乘坐的交通工具了。"

我们仅需列举少数事实来说明该举措在实际情况中是如何进行的。随着你们不断推进，住在北部的人已经撤离了，在你们到来之前，很大一部分人已经退到了南边，所以目前南部地区很拥挤，没有足够的房子来容纳所有群众，我们得知许多人现在住在教堂和工具棚、储藏间等附属建筑中。在这种情况下，仍然待在城市里的人（主要是妇女和儿童）怎么可能找到任何住处？他们怎么能在树林里过冬呢？他们没有住所也没有生计，周围是一群即使有意愿也没有能力帮助他们的陌生人。我们只是描述了该措施导致的众多问题之中的一个而已，真实情况要糟糕得多。您知道，人民的悲哀、恐惧和痛苦是无法用言语来形容的，远超我们的想象，我们恳请您考虑这些因素。我们深知，您作为军队统领，事务繁多，因而不愿以此事打扰您，不过，我们仍然认为您可能没有考虑到这件事所带来的各种可怕后果，而且，我们希望您经过更多思虑之后，不会让这座城市的居民成为全人类历史上的例外，因为此前从来没有发生过这样的事例，至少在美国肯定没有发生过。这些可怜的人究竟做了什么，让他们被迫背井离乡去流浪，成为陌生人、被驱逐者和被流放者，依靠施舍生活？我们还不知道仍在市里的居民的人数。我们确信，其中很多人如果被允许留在家里，就可以在没有帮助的情况下生存数月，还有很多人能在不需要帮助的情况下生存更久。综上所述，我们最诚挚、最郑重地请求您重新考虑或修改这项命令，让这些不幸的人民能够留在家里，继续依靠他们仅有的微薄财产生活。

敬上

市长詹姆斯·M.卡尔霍恩

议员 E.E. 劳森，S.C. 威尔斯

* * *

1864 年 9 月 12 日

密西西比州军事总部

作战中,亚特兰大,佐治亚州

致詹姆斯·M. 卡尔霍恩市长

及亚特兰大市议会代表 E.E. 劳森和 S.C. 威尔斯:

先生们:

我收到了你们于 11 日寄出的信,请求我撤销将所有居民驱逐出亚特兰大的命令。我已详阅,并完全相信你们关于这项命令会带来种种苦难的陈述,但是我不会撤销命令,原因很简单,我下达这项命令并非为做善事,而是在为未来的斗争做准备,而斗争是为了维护亚特兰大之外数以百万计善良的人民的切身利益。我们必须争取和平,不仅仅是亚特兰大,而是整个美国的和平。为了确保这一点,我们必须阻止这场战争,它正在摧毁我们这个曾经快乐的、被上帝眷顾的国家。为了阻止战争,我们必须打败那些违反法律和美国宪法的叛军,所有人都必须尊重和遵守我们的法条。为了击败这些叛军,我们必须打出一条通往他们藏身之处的道路，同时配备好使我们能够实现目标的武器和工具。我了解到，我们的敌人报复心切，从这个季度开始，我们可能要进行为期多年的军事行动，我认为提前做准备是明智和谨慎的选择。如果将亚特兰大用于战争目的，那么它就无法继续作为民众的家园，这里将不会有用于维持家庭生计的制造业、商业或农业，因此迟早会迫使市民离开。如今撤离的安排都已经做好了，为何不现在就走，而非要等到两军在此开战、再现上个月的情景时再行动呢？当然，此时此刻我不认为会发生这种情况，但是，你们不要认为这支军队会一直在这里待到战争结束。我无法与你们充分地讨论这个问题，因为我不能透露我的计划。不过，可以确定的是，根据我的军事计划，这里的居民必须离开，我能做的只是再次提出我们所能提供的帮助，让他们向任何地方移居的过程尽可能地便捷和舒适。你们形容战争的词句不可能比我所举用的更严酷。战争是残酷的，你无法让它变得良善，那些给我们国家带来战争的人应当受到全国人民的唾骂与诅咒。我没有参与发动这场战争，我将会比你们任何人都做出更多的牺牲来确保和平的到来。然而，一个分裂的国家不能与和平共存。如果美国现在向国家分裂屈服,那么战争就不会停止,它将持续下去,我们国家的命运将和墨西哥一样,陷入永不停息的战争。联邦政府确实应该且必须在它掌控的所有地区维护其权威,哪怕是将压力减轻一点,此前的一切努力都将付之东流。我知道,这是我们的共同的国民感情。这种感情有多种呈现形式,但一切形式最终都会回归"联邦"。只要重新承认联邦,重新承认国家政府的权威,你们的房屋、街道和道路将不会再被可怕的战争征用,这支军队也将立刻成为你们的守护者和支持者,保护你们免受来自任何地方的危险。南方的动荡是一系列错误和激烈的感情导致的,我知道有些人陷入其中无法自拔,但是你们可以与他们划清界限,让我们知道哪些人支持联邦政府,哪些人想要战争和一座破败的家园。你们想要博得战争与苦难的同情,还不如去向雷暴求情来得容易。苦难是不可避免的,亚特兰大市民若想过上和平安宁的生活,唯一的方法就是让战争停止,而只有承认战争从一开始就是错误的,而且是因为反叛者自尊心作祟才一直打了下去,才能获得和平。

我们不想要你们的黑奴、马匹、房屋、土地或者任何财产,只要求你们遵守美国的法律。我们定将达成目标,如果在这个过程中需要毁坏你们努力发展的城市,我们也无能为力。你们在报纸上读到的公众意见是由错误观念和激烈情绪推动的,你们在这方面越快查清真相越好。我重申一遍,根据最初的契约,联邦政府在佐治亚州拥有某些权力,这些权力从未被放弃,也永远不会被放弃;早在林肯先生就职、南方开始挑衅之前,南方就已经通过夺取堡垒、军火库、铸币厂、海关等行动拉开了战争的帷幕。在密苏里州、肯塔基州、田纳西州和密西西比州,我目睹成百上千的妇女和儿童在逃离你们的军队和亡命徒的过程中,忍饥挨饿,双脚血迹斑斑。在孟菲斯、维克斯堡和密西西比州,我们为数以千计的反叛士兵的家人提供了食物,他们被留在了当地,而我们无法眼看着他们饿死。如今,战争打到了你们的家乡,你们的感受就完全不同了。你们批判战争,但是却派遣一车车的士兵、弹药和铸模炮弹,将肯塔基州和田纳西州卷入战争。成百上千无辜民众只想在家乡、在祖先建立的政府的管理下过上安宁的生活,但是战争将他们的家园变得荒凉贫瘠,彼时,你们并未觉得战争有多可怖。不过现今,比较是无用的。我倡导和平,但我也相信,现在和平只能通过支持联邦政府和为之进行战争来实现，我发动战争的目的永远是早日取得胜利。我亲爱的先生们，当和平真正到来时，你们尽可以要求我做任何事情。到那时，我会和你们分享薄脆饼干，一起守护你们的家园，保护它远离来自四面八方的危险。但是现在，你们必须离开，带上年老体弱的居民，为他们提供食物，照顾他们，为他们在没有战火的地方建造更合适的住所，保护他们免遭风吹雨淋，直到那些疯狂的人的激情冷却下来，联邦政府重新获得应有的权力，届时和平将回归你们的家乡亚特兰大。

           百忙之中，你们真诚的
           W.T. 谢尔曼
           总司令

—— 信件 14

战争之神

霍雷肖·纳尔逊子爵致艾玛·汉密尔顿夫人

1805 年 10 月 19 日

　　1805 年 10 月 21 日，在五小时之内，由霍雷肖·纳尔逊中将率领的 27 艘英国海军舰艇与由 33 艘法国和西班牙舰艇组成的强大的联合舰队在西班牙西南部海岸交火，这是拿破仑战争中的一场著名战役，称"特拉法尔加海战"。英国人大获全胜，拿破仑·波拿巴的进攻计划落空了，然而这场战役死伤惨重，纳尔逊英勇牺牲。战役开始前两天，纳尔逊意识到他可能再也见不到他的情妇艾玛·汉密尔顿夫人了，于是提笔给她写了一封信。在他死后，人们在"胜利"号战舰的办公桌上发现了这封未完成的信。

—— **信件正文**

"胜利"号,1805年10月19日

中午,加的斯东南-东方向51海里

我最亲爱的艾玛,我的挚友:

敌人的联合舰队即将离开港口,我们收到了信号。这边风很小,所以不太可能在明天之前看到他们。愿战争之神眷顾我,让我事事顺遂,获得胜利。我要争取让我的名字永远在你和霍拉蒂亚心中占据最亲密的位置,我爱你们两个,如同爱我的生命。鉴于我将迎战前的最后一封信写给了你,希望上帝能让我活下来,在战役结束后写完这封信。愿上天保佑你,你的纳尔逊和勃朗特为你祈祷。

10月20日上午,我们离海峡口很近了,但是风还没有吹到西边,因而联合舰队无法逾越特拉法尔加附近的浅滩。据统计,他们的战舰多达40艘。我估计是34艘战列舰和6艘护卫舰。今天早上有一组战舰出现在加的斯灯塔方向,不过海风徐徐,烟雾弥漫,我猜想他们会在夜幕降临之前进入港口。愿全能的上帝赐予我们胜利,让我们重获安宁。

鉴于我将迎战前的最后一封信写给了你,希望上帝能让我活下来,在战役结束后写完这封信。

——霍雷肖·纳尔逊子爵

—— 信件 15

筋疲力尽但兴奋不已
琼·万德雷致妹妹贝蒂

1945 年 3 月 28 日

琼·万德雷于 1920 年出生于威斯康星州沃托马。1940 年 12 月 1 日,她从明尼苏达州罗切斯特的护士学校毕业。次年,日本袭击了珍珠港,导致美国加入第二次世界大战。万德雷参加了美国陆军护士队,在北非和欧洲担任战区护士,一直履行职责到 1946 年,那时她已经晋升为中尉,并因为她的勤奋工作获得了八枚服役星章。1945 年 3 月,她写信给妹妹贝蒂,讲述了盟军解放 12A 战俘营这一令人难以置信的事件。这里曾是一间精神病院,后来关押着数百名战俘,其中有些人身负重伤。

—— 信件正文

1945 年 3 月 28 日

德国

最亲爱的贝蒂:

下班时,我听说我们的部队解放了距我们几公里远的黑彭海姆的一间战俘医院,那里有数百名病人。尽管天开始下雨,太阳落山了,我也筋疲力尽,但我还是想去看看那些被关起来的病人。没有人愿意冒险和我一起搭车过去,所以我只好穿上平常那件不合身的男式制服,戴着头盔,披上宽大的雨衣,口袋里装着我的配额内少得可怜的香烟和硬糖,独自踏上了泥泞的道路……而且没有申请批准。

我小心翼翼地溜出帐篷,消失在黑暗里。我走了大约两公里半,全身都湿透了。这时,在一片漆黑中,我听到一辆没开灯的吉普车从我身后开过来。我走在道路正中间,因为只有沟渠中间的道路部分扫过雷。为了避免被撞倒,我大声喊道:"能不能搭个车?"

吉普车停了下来。车里坐着第三师的恩格尔上尉，他要去医院评估和调查情况。看到我，他一脸惊诧，答应让我搭车往返。他出生在这里，会说一口流利的德语。我们一个月前曾在一场聚会上见过面。

战俘营里有二百九十名美国人，他们穿着脏兮兮的衣服，饥饿难耐，伤痕累累。同时战俘营里还有俄罗斯人、法国人、意大利人、斯拉夫人和摩洛哥人。有些我们的同胞已经在那里待了七个月。他们用卫生纸盖住较小的伤口，用破布包住可怕的断肢，把军装夹克撕成条来固定简易敷料。他们的身体上布满了抓挠虱子造成的抓痕。

早餐是一块大约 5 厘米乘 10 厘米大小的、被虫蛀过的黑面包，八到十个人每天分一条面包。午餐是一小碗去皮土豆汤，有时里面加一点点米。如果午餐没吃完，就加点水煮成晚餐。他们基本上每月刮一次胡子，偶尔会频繁一点。每月换一张干净的床单，盖毯则从不更换或清洗。如果他们吐在床上，就只能和呕吐物一起入睡。那些还能走路的人会照顾那些不能下床的人。

在去年 12 月穿越阿登高地的过程中，德国人俘虏了两名美国医生，他们被送到这家医院来，用连最基本标准都达不到的医疗设施来诊疗八百名患者。我曾在西西里遇到过其中一位医生。这里没有护士,只有两位德国的X光技术员。

在漫长的监禁生活期间,我们的士兵只被允许写一封信,但他们从未收到过任何答复。香烟是绝对没有的。能走到外面去的摩洛哥人用干杂草和包装纸制作成香烟,然后以高价卖给美国兵。由于缺乏护理,卧床的病人身上布满了溃烂的褥疮。唯一可用的药物就是吗啡。

我们的部队曾绕过这个村庄,留下了一名与队伍走散的美国士兵。几个病人从他们的窗户看到他蹲在医院楼的角落里,手里拿着步枪。他们偷偷溜出去,把他带了进来,向他展示了他们可怕的生存环境。后来,他设法逃出去,找到同伴,带着他们一起回到这里,解放了医院。

美国配发的救济送到时,士兵们哭了。走廊里堆满了并不适合这些饥饿的人和他们萎缩的胃的食物,不过我估计当时也只能提供这些了。所有能吃饭的人都把发给他们的食物全塞进了肚里,结果几乎所有人都感到恶心。能走路的人走到外面去呕吐,回来继续狼吞虎咽,然后再吐。他们只是想要体验食物的味道和咽下肚里的感觉,尽管回去的路上可能就要断粮了,但是他们毫不在意。

如果一个美国人死了,德国人不会碰他。他们会让能够走路的美国兵把他抬出去,想办法处理尸体。如果有个人还没来得及吃他的黑面包和土豆汤就死了,剩下的人会争抢他的食物,通常最后的结果是每个人都咬(喝)一小口。

你应该听听那些男人看到我穿过愁云密布、臭气熏天的病房时发出的欢快的叫喊声。我依次查看每一个病床。他们有好多问题,大家七嘴八舌地一起说话。有的人非常想要跟我说话,说到嗓子都哑了。其他人只是难以置信地盯着我看,有的人会摸摸我的脸颊、头发和手。还有的人摸着我粗糙、潮湿又脏旧的袖子,就好像它是用金丝布和绸缎做成的一样。泪水从我们的脸上滑落。每个人都想与我分享他们最近获得的香烟和食物……或者他们会说"如果你能等一下,我们可以给你煮点咖啡"。我的喉咙哽咽了。在那里你很难表现得心情愉快、无忧无虑。但是,他们想要的是欢笑,是和女人聊聊天……我尽力了。这时甜言蜜语最有用。

村里的牧师私藏了一台收音机,可以用来收听美国广播。他会向美国医生转述新闻,而这些美国医生又会在晚上轮流巡视时,向士兵们低声传达关于战争进展的消息。

大部分人一辈子都不会像我今晚那样受到如此优待。

筋疲力尽但兴奋不已的

琼

—— 信件 16
尊重它,并让它永存于心
汤姆·奥沙利文致儿子康纳

1996 年 9 月 16 日

波斯尼亚战争始于 1992 年 4 月,历时三年多,共计造成超过 10 万人丧生,超过 100 万人流离失所。1996 年 9 月 16 日,即和平协议签署九个月后,汤姆·奥沙利文少校正在波斯尼亚服役,担任柯尔特营第六十七装甲部队第四(特遣)队的作战指挥官。那天是他儿子的 7 岁生日,于是他写了一封信。

—— 信件正文

亲爱的康纳：

我很抱歉不能回家陪你过 7 岁生日，不过，我很快就会离开波斯尼亚，回到你身边。你知道我有多爱你，这才是最重要的。在你生日这天，我脑海里只有一个念头，那就是身为你的父亲，我感到十分自豪，因为你是一个特别棒的孩子。

我还记得你出生的那天，我感到多么幸福。那是我永生难忘的、最幸福的一天。你的身体小小的，长着浅色的头发。我不舍得让别人抱你太久，因为我想一直抱着你。那一天对我来说是那么特别，每年举行一次庆祝活动来纪念它，我认为是非常合理的。

波斯尼亚没有商店，所以我没办法给你买玩具或纪念品作为生日礼物。不过，我寄给你的是非常特别的东西。它是一面旗帜。这面旗帜代表着美国，我每次看到它都感到自豪。当波斯尼亚本地人看到这面旗帜在我们的制服上、车辆上或是在我们的营地上空飘扬时，他们知道它代表着自由，对他们而言，还代表着多年战乱之后终于到来的和平。有时，这面旗帜对于他们的意义甚至比对于美国人民更重大,因为有些美国人尚不了解它所代表的牺牲精神,也不知晓它为波斯尼亚等地区带来的和平。

1996年9月16日,这面旗帜在波黑北部波萨维纳走廊的柯尔特营第六十七装甲部队第四特遣队总部的旗杆上飘扬。它在你7岁生日之际为你升起,请你尊重它,并让它永存于心。

爱你的

爸爸

—— 信件 17

请放过它吧

波比、莱昂内尔和弗里达·休利特致赫伯特·基奇纳勋爵

1914 年 8 月 11 日

　　第一次世界大战期间被征兵的绝不仅限于人类。事实上,在为期四年的战争中,超过 1600 万只动物也参加了战争,包括马(用于运输)、狗(陪伴和安保)、鸽子(传递信息)、金丝雀(检测有害气体)和猫(在战壕里捕捉老鼠)。参军的动物数量庞大,其中大部分是民众贡献的家养动物,很多来自英国各地。毫不令人意外的是,并非所有公民都会毫不犹豫地放弃他们心爱的宠物。战争开始两个月后,英格兰维冈镇的三个孩子十分担心宠物马会遇难,于是写信给负责战争的大臣、陆军元帅赫伯特·基奇纳,恳求他不要带走它,并在信中附带一张照片。令他们惊讶的是,基奇纳的私人秘书很快就寄来一封回信,传达了勋爵的口信。

—— 信件正文

1914 年 8 月 11 日

黑格的村舍，
维冈。

敬爱的基奇纳勋爵：

我们写这封信是为了一匹小马，我们很害怕她会被您的军队带走。请放过她吧。爸爸说她明年年初就要当妈妈了，她今年 17 岁。她的离去会令我们非常伤心。我们已经提供了另外两匹马，而且我们家有三个人现在正在海军为您征战。

妈妈和我们家所有人都可以为您做任何事情，但是求您让我们留下老贝蒂吧，请您在有人来征募之前尽快发送一份正式文件。

您忠诚的、深受困扰的英国小朋友们
P.、L. 和弗里达·休利特

***

陆军部，

白厅，南西敏市

基奇纳勋爵要求我在回复你们 8 月 11 日的来信时说，他认为，如果你们将信件随附的便条出示给任何来问起这匹小马的人，它就能够安全地留在你们身边。

"F.M. 基奇纳勋爵先生已决定不得征用属于英国 P.、L. 和弗里达·休利特家矮于 15 手[1]的马匹。"

***

致我们敬爱的基奇纳勋爵：

您真是位好人，允许我们留住亲爱的老贝蒂。我们每天都询问邮递员是否有信，您的事务那么繁忙，我们几乎不敢奢望您会有时间读到我们的请求，但是您的举手之劳，对我们而言却事关重大。真的非常

---

1. 15 手约合 1.53 米。"手"是英制长度单位，1 手约等于 10.2 厘米。

非常感谢您。我们有您的照片,永远不会忘记您的善意。我们希望能为您和所有正在为亲爱的老英格兰和我们这些民众的利益工作与战斗的勇士们,贡献出我们的绵薄之力。

永远感激您的英国臣民

波比、莱昂内尔和弗里达·休利特,以及宠物马贝蒂

上帝保佑基奇纳勋爵和英国国王

—— 信件 18

最非同寻常的场面
雷金纳德·约翰·阿姆斯上尉致妻子
1914 年 12 月 24 日

    1914 年的平安夜,也就是第一次世界大战开始五个月后,战斗在西线的数千名英国和德国士兵同意放下武器,从战壕中走出来,友好地互相问候。接下来的几天内,近 10 万名英国和德国士兵一起聊天、交换礼物、唱圣诞颂歌和踢足球。最重要的是,他们还能在不必担忧人身安全的情况下埋葬死者。12 月 24 日晚上,也就是这段神奇的停战期开始的第一天,北斯塔福德郡军团第一营的"杰克"·阿姆斯上尉写信给他的妻子,描述了这件令人难以置信的事。战争结束后,阿姆斯回到了家人身边,于 1948 年逝世。

—— 信件正文

> 1914 年 12 月 24 日

我刚刚经历了人们能想象到的最非同寻常的场面。今晚是圣诞前夜，我例行来到战壕里履行职责。双方一直在交火，敌人的机枪正在向我们猛烈射击。然后，大约 7 点的时候，射击停止了。

当时我正在防空壕里看报纸，士兵在分发邮件，有人来汇报说德国人沿着前线点亮了他们战壕上的灯，我们已经相互呼喊了一阵圣诞节祝福和其他的话。我走了出去，听到他们大喊"不要开枪"，接着，不知怎的，战争前线的氛围变得一派祥和。我方所有人都走出战壕，坐在矮护墙上，德国人也这样做了，他们用蹩脚的英语和我们交谈起来。我爬到战壕上，用德语发话，请他们唱德国民歌，他们唱了一首，然后我们也唱了歌，很好听，双方都为对方鼓掌欢呼。

有个德国人之前唱了一小段独唱，我邀请他再唱一首舒曼的歌。他演唱的《两个掷弹兵》悦耳动听。我们的士兵是很棒的听众，他们非常喜欢他的歌声。

随后，我和波普走过去，与德军指挥官进行了交谈。他的一名手下为我们做了正式介绍。他先询问了我的名字,接着把我介绍给他的长官。他们想埋葬一些死在双方战壕之间的德国士兵,我同意了。我们还约定明天午夜 12 点之前不开火。我们谈话时,有十来个德国人聚在周围,我的脚离他们的战线只有一码左右。我们相互问好,他感谢我允许他们埋葬死者,我们商定了派遣士兵的人数,双方的其他士兵都必须留在战壕里。

我们互相道了晚安,祝对方好好休息、圣诞快乐,之后敬礼告别,各自回到战壕。德国人唱了《保卫莱茵》,颇为动听。我们的士兵唱了《诞生佳音》,唱得很不错。互相道过晚安后,士兵们都回到了战壕里。在一个宜人的月夜,德国战壕上挂着小灯,两边的士兵成群结队地聚在矮护墙上,那真是一幅奇特的景象。

有时,我们能听到远处的机枪声,偶尔听到一两次步枪开火。现在,我仍然可以听到那些远处的声音,但是我们四周安静极了。我容许几个士兵走出战壕,与一两个德国人在两条战壕中间见面。他们交换雪茄、抽着烟,聊了起来。与我交谈的指挥官希望我们在新年那天也能这样做,我说:"好,如果我还在这里的话。"我觉得,在睡觉之前,我必须先坐下来,写下这个圣诞夜的故事。当然,我们没有放松戒备,不过,我认为他们是会遵守规则的。尽管如此,我想,我整夜都会保持清醒,确保不会出事。感觉真怪,明天晚上我们又要开始激战了。如果我们按照约定度过了这一天,那么这将是一个令人永生难忘的圣诞节。唱歌的那个德国人的嗓音真是非常好听。

我准备到战壕周围巡视一圈,看看一切是否安好。晚安。

圣诞节。我们度过了一个相安无事的夜晚,而我们的左右两边的战线上一直在交火。在我们的战壕和对面敌人的战壕里,只有篝火在熊熊燃烧,偶尔能听到歌声和说话声。今天早上晨号一响,德国人就派人去埋葬死者。我们的士兵出去帮忙,双方在中间地带相见,三三两两地开始交谈、交换烟草作为礼物等等。我们整个上午都在交朋友、唱歌。我其实一直站在离他们的战壕不到一码的地方,与一名上校、几位参谋官和几名连长问候、交谈。一切顺利。按照我们事先做好的安排,双方士兵都不能靠近对手的战壕,而应该保持在两条战线的中间。整件事都非同寻常,士兵们并未感到尴尬，反而表现得友善、自然。我们还拍了几张照片，一队德国军官、一名德国军官和我，以及一队英国士兵和德国士兵。

德国兵都是撒克逊人，长相英俊，他们只是在以一种男子汉的方式盼望和平，而且看起来精神饱满。我们的士兵和他们的士兵相处得轻松愉快，我对此感到十分惊讶。

我们刚刚结束闲聊，准备去吃晚饭，并计划之后再出来见面，到黄昏再回去，（无法辨认的字迹）直到晚上9点，到时候战争将重新开始。我真不知道谁会先开火！他们说"如果你们向空中射击，我们也会这么做"之类的话，但是战争一定会继续的，明天我们将开始拼命互相厮杀。这天的"和平日"只是一个非同寻常的情况。得知能够休息一天，双方士兵简直喜出望外。

他们的"歌剧演唱家"今晚会给我们唱一两首歌，也许我也会给他们唱一首。试着想象一下吧，两条战壕之间一片祥和，相距仅50码，双方的士兵此前可能除了时不时地能看到对方冒出一个头，都未曾谋面，而且也从未走出去站到战壕前面过。然后突然有一天，人们从两条战线后面纷纷走出来，在中间地带进行友好的交谈。有一个已婚男人,非常想要一张贝蒂和南希在床上的照片,我正好有两张,就给了他一张,几个德国人事后告诉我,他拿着照片四处炫耀。他给了我一张不久前刚收到的他和家人的合影。

好了,为了今天能写完,现在我必须收尾了。刚吃完晚饭,猪排、葡萄干布丁、肉馅饼、姜、一瓶葡萄酒,并抽了一支雪茄。为家里所有人干杯,特别是你,亲爱的。现在,我得去外面监督士兵和德国人会面了。

我尽量在这一两天之内再多写点。仔细保存好这封信,抄些副本发给大家。我想他们会感兴趣的。想来真有趣——独自走向敌军的战壕,与对方在中间会面,一起安排如何和平地度过圣诞节。这将是我永生难忘的经历。

替我亲亲小宝贝们,把我的爱带给他们。给我写一封长信,告诉我所有的新鲜事。我希望我们拍的照片效果不错,你可能会在某些报纸上看到它们。

你的

(签名)杰克

—— 信件 19

我们将战胜康沃利斯和他的军队

亚历山大·汉密尔顿致妻子伊丽莎白

1781 年 10 月

1781 年 10 月 17 日,在弗吉尼亚州约克镇的战场上,一名军官代表英国陆军司令查尔斯·康沃利斯站在战壕上挥舞一条白手帕,标志着为期三周的约克镇围城战役的结束。实际上,这也是美国独立战争的最后一场重大战役。英国被迫投降的一部分原因是亚历山大·汉密尔顿的行动,他在前几天晚上领导了一场双头进攻,夺取了两个英国堡垒(临时堡垒),此后,康沃利斯几乎没有回旋的余地。在他的战略取得成效后不久,汉密尔顿写信给他的妻子,告知她这一喜讯。两天后,他又写了一封信。

—— **信件正文**

> 约克镇,弗吉尼亚州,1781 年 10 月 16 日

我的伊莱莎,两天前,我的责任和荣誉迫使我下出一步险棋,严重威胁到了你的幸福。我下令进攻敌人的一个堡垒。我们很快就攻下了它,而且损失很小。你会在费城的报纸上读到详细情况。我确定之后不会再出现这样的事情了,剩下的问题都将通过洽谈的方法解决;如果还有,也不会轮到我来执行。

* * *

> 约克镇,弗吉尼亚州,1781 年 10 月 18 日

我今天才收到你 9 月 3 日的信,我的天使。很快就能将你拥入怀中的美好前景减轻了我没有收到你的消息而感到的不安。你父亲会告诉你最新消息的。明天,我们将战胜康沃利斯和他的军队。两天后,我很可能就会动身前往奥尔巴尼,我希望从现在起三个星期后就能拥抱你。我的爱人,你尽可凭感觉来想象,这一前景对我来说是多么愉快。只有你我二人能理解

我此时快乐的心情。我没有时间细说了。让这一喜讯来弥补这封过于简短的信件吧。把我的爱送给你的妈妈、卡特夫人、佩吉和全家人。

再见,我心爱的、迷人的妻子,吻你一千次,再见。

爱你的

A. 汉密尔顿

—— 信件 20
为什么我们不能得到士兵的报酬？
詹姆斯·亨利·古丁致亚伯拉罕·林肯总统

1863 年 9 月 28 日

詹姆斯·亨利·古丁于 1838 年 8 月出生在北卡罗来纳州的一个奴隶家庭。[1]1863 年 2 月，他加入马萨诸塞州第五十四步兵团——有史以来第二个由非裔美国人组成的军队——并参加了美国南北战争。9 月，他给美国总统亚伯拉罕·林肯写了这封颇具说服力的信，清晰地表达了他对白人和黑人士兵工资差距的不满，这可能是他一生中最重要的贡献。他的请愿得到了重视，次年 6 月，新通过的一项法律弥补了这一差距，该法律要求无论何种信仰的士兵都应获得同等报酬。可惜的是，古丁永远都不会知道了——就在该法律颁布几个月前，他在战斗中受伤被俘，于 1864 年 7 月在战俘营里去世。

---

1. 詹姆斯·亨利·古丁生而为奴，在他很小的时候，一个叫詹姆斯·M.古丁的奴隶主买下了他，并把他送到了纽约市接受教育，在这里詹姆斯发掘了自己的写作天赋。当他接近成年时，他决定隐藏他作为一个奴隶的过去，并开始告诉人们他出生在纽约，生而自由。——编者注

—— 信件正文

1863 年 9 月 28 日

莫里斯岛，通信兵团

亚伯拉罕·林肯阁下：

敝人冒昧给您写信，请阁下谅解。由于战友的恳切请求，且此事与我的利益切身相关，我才将我们的共同申诉提交国家行政首长查阅：上月 6 日，部队付款主管通知我们，如果我们决定每月只收 10 美元报酬，他会支付我们这笔款项，但是，他认为，如果将此事上报国会，我们军团还能获得另外的 3 美元。他没有向我们保证结果将如他所愿。当然，他无权做出任何保证，我们也不能假设这件事与他的利益相符。目前的核心问题是，我们是士兵，还是劳工？我们全副武装，装备齐全，履行了一名士兵日常的各种职责，我们很守规矩，将军们没有任何一点不满，即使他们曾经对我们有偏见，现在也已经给予了我们应得的所有鼓励和荣誉；我们与其他士兵一起面对危险，为攻下第一个飘扬着邦联旗帜的据点付出了劳动；我们还做了更多,总统先生。如今,盎格鲁-撒克逊人的母亲、妻子或姐妹并不是唯一为逝去的儿子、丈夫或兄弟流泪的人了。耐心的、对国家充满信任的非洲人的后裔,为了捍卫联邦和民主,用鲜血染红了这片土地。尊敬的阁下,他们也在某种程度上深知压迫的铁蹄的残酷性,他们洒下热血所维持的,正是那种在过去的岁月里一直将他们不断碾成粉末的力量。但是,当战争的号角在这片土地上吹响,当人们分不清敌方和朋友时,黑人为国家献祭了自己的生命。然后,他却遭到拒绝。在战争的第一年,当联邦的军队节节败退、行政长官需要给饥饿的战争机器投入更多的"食物"时,黑人再次乞求获得帮助危难中的国家的权利,然后再次被拒绝。如今,他们终于参战了,表现如何?让他们卑微的身影站起来,走出詹姆斯岛的泥潭,给出问题的答案。把瓦格纳护墙周围的肥沃的土壤都翻起来,就会找到一个无可辩驳的答案。他们服从命令、耐心十足,像坚实的墙壁一样可靠。我们只是没有更浅的肤色,也不能熟练掌握字母表而已。尊敬的阁下,既然我们已经履行了士兵的职责,为什么我们不能得到士兵的报酬?您告诫叛军首领,美利坚合众国不会对她的士兵做出区分,无论信仰或肤色如何,她都坚持按照战争的惯例,平等对待所有士兵。如果美国要求叛乱分子也对士兵一视同仁,那么她自己是否也应该以身作则,言行一致,给所有士兵支付同样的报酬?我们军团里的黑人不是"叛逃南方联盟入伍"的。但是我们也不希望政府认为,我们服役比前奴隶服役更有意义。前奴隶参军无疑对国家很有价值,国会明确做出了关于他们的规定,鉴于他们是由于军事需要而被解放的奴隶,政府将承担起他们的临时监护人的责任,但这种情况不适用于我们。我们生而自由,因而我们拥有在法律允许的范围内为自己思考和行动的权利。我们认为自己不属于"叛逃南方联盟入伍"法案中所约定的主体。先生,我们向您请愿:作为国家的行政长官,请公正地对待我们。我们军团希望得到保证,让我们为国家提供的服务得到尊重和认可,按照美国士兵而不是卑微的仆从的标准来获得报酬。您可能很清楚,黑人生活穷困,如果每月能多收到 3 美元,那么一年的报酬将足以让我们为困窘的妻儿供应生活所需。如果您作为国家首席行政长官,可以确保我们得到全部工资,我们会很满足,我们的爱国主义和奋斗热情将获得新的驱动力,我们会继续贡献力量、为国家服务。尽管我们摆出了冷漠的态度，但并不意味着之前的满腔热情已经冷却，我们只是感觉，自己发誓要为国效忠，而她却看不起我们。希望您对此事给予一点关注。

            詹姆斯·亨利·古丁

既然我们已经履行了士兵的职责,为什么我们不能得到士兵的报酬?

——詹姆斯·亨利·古丁

—— 信件 21
这是真事
伊夫林·沃致劳拉·沃
1942 年 5 月 31 日

英国小说家伊夫林·沃以发表于 1945 年的小说《故园风雨后》闻名。该小说出版前的五年里，他一直在军队服役，首先是在皇家海军陆战队，随后于 1942 年 5 月被调动到当时驻扎在苏格兰西南部的皇家近卫骑兵团。他很高兴，不仅因为能转变生活节奏，看看不同的风景，更是因为他的妻子劳拉正在远方的家中照看他们的三个孩子。她还怀有身孕，很快就要生下他们的第四个孩子。5 月 31 日，在女儿玛格丽特出生之前仅十天，伊夫林拿起笔写下了一封信，这可能是他写过的最有趣的一封信，让妻子很开心。他在信中讲了一个关于一个老树桩、算错的数字以及炸药过量的故事。

—— **信件正文**

1942 年 5 月 31 日

亲爱的：

收到你的来信真是太高兴了。我以为你已经被某种皮克斯顿瘟疫吞噬了。

你知道埃尔伍兹的地址吗？我写了信给他，问候哈珀，没有收到答复。

考尔斯小姐今晚就要离开了。除我之外，所有人都觉得很遗憾。我不得不安排她的所有行程，非常麻烦。她是一个开朗的、肆无忌惮的年轻女子。她想当选突击队的名誉上校，所以我提名了玛格丽特·罗斯公主。鲍勃正在从我手里吃东西。

三号突击队非常渴望和格拉斯哥勋爵成为好兄弟，因而他们提出要为他炸毁一个老树桩。他非常感激，说不要破坏它附近的那片小树，因为它们是他的掌上明珠。他们说不会，当然不会，我们能把一棵树炸倒并让它精准地落在一枚 6 便士硬币上。格拉斯哥勋爵说，天哪，你们真聪明。为了这次大爆炸，他邀请所有人共进午餐。于是邓福德－斯莱特上校（获得杰出服役勋章）问他的部下，你有没有在树桩里放足够多的炸药。放了,长官,75 磅(1 磅约合 0.5 千克)。这些够吗?够的,长官,我通过数学计算得出这些炸药刚好够用。最好稍微多放一点。没问题,长官。

邓福德-斯莱特上校喝完波特酒,派人去叫那个部下,让他最好在那个树桩上多放一点炸药。我不想让格拉斯哥勋爵失望。没问题,长官。

接着,他们都出去看爆破,邓福德-斯莱特上校说,你会看到那个树桩向恰好不会碰到小树林的角度倒下。格拉斯哥勋爵说,天哪,你们真聪明。

很快,他们点燃了导火索,等待爆破,结果这个树桩非但没有静静地侧身倒下,反而飞到了 50 英尺(约 15 米)高的空中,还带走了半英亩(约 2023 平方米)的土壤和整片小树林。

那个部下说,我搞错了,应该是 7.5 磅,不是 75 磅。

格拉斯哥勋爵非常沮丧,他一言不发地走回他的城堡。当他们沿路拐过弯看到城堡时,他们会发现那座建筑上每一块玻璃都被震碎了。

于是格拉斯哥勋爵小声尖叫了一声,然后为了掩饰自己的情绪跑到盥洗室里,当他拉下冲马桶的塞子时,被炸得松动的整个天花板都掉在了他的头上。

这是真事。

E.

—— 信件 22

祖鲁人一下子扑了上来
亨利·库林中尉致他的母亲

1879 年 2 月 2 日

    祖鲁战争是大英帝国殖民时代的丑陋证明：英国人入侵后，在南非祖鲁王国与当地人展开了一系列残酷的血战。1879 年 7 月，经过六个月的战斗，数千人死亡，大英帝国终于击败了祖鲁军队，不过后者也给英国人造成了相当大的损失。第一次重大冲突发生在 1879 年 1 月 22 日，即伊桑德尔瓦纳战役。在这场战役中，近 2 万名祖鲁族战士获得了压倒性的胜利，杀死了 1300 多名侵略者士兵。英国人伤亡惨重，但在这当中，却仅有一名前线的军官存活了下来，他就是皇家炮兵团的亨利·库林中尉。幸运逃脱之后不久，库林写信给他的母亲，详尽描述了这场战斗。他的信是为数不多的来自前线的第一手资料之一，后来刊登在了《旗帜晚报》上。库林于 1902 年从英国军队退役，1910 年到拉姆斯盖特定居。

—— **信件正文**

2月2日
纳塔尔

亲爱的妈妈：

现在事态又平息了一些，我可以给你多讲讲发生的事。我相信你得到了真实的消息，因为我见到了第一个把消息带到彼得马里茨堡的人，我希望你没有过于担心。

战斗开始的当天早晨3时30分，天亮之前，大部队出征，给我们留下两台大炮和大约70名士兵。约7时30分，有人看到在离营地约3公里的山上有大约1000个祖鲁人，于是我们也出动了。我们当时没有想太多，我只是暗自庆幸自己暂时获得了部队的指挥权。我带着枪和20个人出去备战，余下50人留在营地。我们在营地前一直保持着阵形（大约800米长），直到11点钟，敌人消失在了我们左侧的山丘后面，于是我们返回了营地。谁也不知道祖鲁人打算袭击营地。在上一场战斗中，我们经常看到同样规模的敌人军队，做梦也想不到他们会打过来。而且，我们共有大约600名士兵（正规军）、两台大炮，还有约100名其他职能的白人和至少1000名武装的土著。

12点左右，士兵正在准备吃午餐时，又有人来报警，我们立刻出去迎战。这时史密斯少校已经从总部队归来，接过了指挥权。这样一来，我就不用负责移动大炮了。我们将大炮装好，比步兵先出发，占据了营地左前方的一个位置，从那里我们能够向几乎静止不动的大规模敌军发射炮弹。第二十四军团走过来，在我们的两侧摆好应对散兵团的阵形。祖鲁人很快分散成众多小队，围绕在营地边，一直排列到我们看不见的地方。

我们无法估计具体有多少敌人，山上密密麻麻全是祖鲁人。他们迎着步兵和我们的大炮稳步前进，我相信，所有负责保卫营地后方的土著都很快就逃跑了，只剩下我们这一侧的防守。很快，子弹从我们头侧呼啸而过，开始有人陆续倒下。

祖鲁人仍然继续前进，我们开始发射炮弹，但上面的命令是开炮一两轮就后撤。

这时，在我的小分队里，有个人的头被打中了，另一个人受了伤，身体侧面中弹，还有一个人手腕被击中。史密斯少校的手臂也中弹了，但他还能履行职责。当然，没有人有空去照料伤者。接到撤退命令时，我们立即行动起来，但差点没来得及撤走，祖鲁人一下子扑了上来，一名士兵还没爬到炮架上的座位里就被杀死了（被刀刺死）。因为没有时间爬上炮架，大多数炮手都直接跑走了。

我们一路小跑回到营地，想去占据另一块阵地，却发现它已经被敌人占领了，他们正在刺杀那些跑出帐篷的人。我们直接穿过这群敌兵，来到另一侧，半路上几乎失去了我们所有的炮手，两名中士也有一个倒下了。我们希望从通往罗克河的道路撤退，但那里也全是敌人，我们被围困住了，只好跟随一群土著和营地服务人员跑下一条峡谷。路上有好多祖鲁人，他们砍杀着逃跑的人群。

峡谷越往下越陡峭，最后大炮被卡住，无法再前进了。不一会儿，祖鲁人步步逼近，炮车队仅存的负责拉炮的人也被拖下马杀死了。这时，我没有看到史密斯少校，可是一分钟前我还和他在一起。

我们的大炮不会被长铁器毁坏，我们没有时间多想，只想着保护大炮到最后一刻。

大炮一被敌人夺走，我就骑着马随人群落荒而逃。我不知道我们之中有多少人成功逃脱了；到处都是祖鲁人，我看到四周都是倒在地上的人。我们走了大约8公里，来到了河边的一处悬崖上，祖鲁人还在后面紧追不舍。我们不得不沿着悬崖的侧壁爬下去，顺利爬下来的人只剩不到一半了。不少人直接摔了下去，其中包括史密斯少校。这时，祖鲁人赶到了，朝正在往下爬的我们开枪射击。我安全地下来了，来到了一条河边，河水很深，水流湍急。有几个人在试图游过去时，被水流卷走了，还有些人被从上面射下来的子弹打死了。

幸好我的马直接游过去了，马的尾巴、马镫皮带上还挂着三四个人。过了河之后，我们就相对安全了些，不过后来有很多没有马的人没跟上队伍，也被杀死了。我感觉就像在做梦一样，简直不敢相信这是事实。整个过程从头至尾没有超过一小时。许多人逃离了营地，但在撤退过程中被杀。第二十四军团的长官和士兵无一生还，他们只能靠双脚逃跑，而且都在营地的另一边。我在河边看到了其中两个士兵，他们没有和队伍在一起，但后来有人在我们这一侧的河边发现了他们的尸体。

留在营地里的50个人中，有8人设法骑着我们留在营地的备用马逃跑了。我的支队中只有一名中士成功逃脱。我们总共损失了62名士兵和24匹马,整个炮兵部队损失了一半人马。

那些逃走的人在离开时只穿了衬衫,连一块布都没带。我们晚上总是睡在堡垒或马车圈起来的露天营地里,这些营地叫作拉格。几乎每晚都会下雨,而且很冷,非常不舒服。

我们每个人顶多有一条毯子,你可以想见我们过得有多艰难。起初几天我简直精疲力竭,现在已经好多了。

没人知道会发生什么。我们已经建起了坚固的防御工事,如果我们受到攻击,这里也会相对安全。我们唯一害怕的就是疾病。晚上,堡垒里挤着50名伤病员,800个人被圈在这么小的一片地方,气味令人作呕。幸运的是食物很充足,我们至少能支撑三个月。所有的间谍都已经被枪毙了,我们处理了三四个。

此前,他们可以去任何地方,我们的灾难在很大程度上是由于他们准确掌握了将军的动向。这将在英格兰引起多么大的震动和愤慨啊。

我们的兵力布置不太合理,守营的安排也不好,但是总兵力应该是足够的,不应该只留下小队人马,等着被10—15倍人数的敌军攻击。正如你听说的,这场战役没有伤员存活下来，所有受伤的人都以最残酷的方式被杀死了。我在撤退途中看到了几个受伤的人，他们都在大声呼救，因为他们知道可怕的命运在等待着他们。史密斯－多里安是第九十五军团的一个年轻人，我看到他下马试图帮助一个伤兵。他的马立刻就被一枪打死了，他不得不赶紧逃命，他能逃脱真是奇迹。你会在报纸上读到各种各样的说法，那全是谎言。大多数成功保命的人都是志愿者和当地的特遣队军官，他们信口胡诌。我们听说将军给6个军团和1个骑兵旅发了电报。即使有这些军队的参与，也需要很长时间才能结束这场战争。军队需要几个月的时间才能适应这个国家，而且他们需要长长的列车才能装下所有行李，其实非常不适合在战场上作战。驻扎在殖民地的军队总是轻装上阵，在露天环境里睡觉。我们现在得不到土著的帮助了，他们不再相信我们了。

你的信件仍然定期到达，阅读它们是一种享受。听说了艾米的事我很遗憾，但我相信那只是一次轻微的心脏病发作。很不幸，这将会大大推迟你的旅程。

我很高兴爸爸身体依然健朗。如果天气一直这么恶劣，穿越海峡到法国旅行将是相当危险的。我想我这会儿肯定是要升职了,我确实希望自己能落得个好结果。如果我安全无虞地度过了这场战争,之后却被送到世界上某个偏远的角落,那将多么令人沮丧啊。

所有成功逃脱的人都按顺序提交了报告,这些报告可能会被发表,所以你终将读到有关这场悲惨灾难的真相。我们可怜的将军看起来有些精神错乱了,所以我们什么也没做,即使他已经镇定下来了,估计也不会有什么行动。

把我的爱送给家里的所有人,相信我。

最爱你的儿子

H. 库林

—— 信件 23

这些事情对我而言不是小事

罗德尼·R. 查斯坦特上尉致他的父母

1967 年 10 月 19 日

    1967 年 10 月 19 日，刚被提拔为上尉的罗德尼·R. 查斯坦特自豪地写下了这封信，从越南寄回家，信中讲述了他最近晋升的消息。第二年，也就是 1968 年 9 月，他又写了一封信，解释说他需要继续履行职责，不能回国，是因为"我的经历非常宝贵。这份工作需要一个有良知的人"。不幸的是，仅一个月后，他就在一次行动中丧生了。

—— 信件正文

1967 年 10 月 19 日

罗德尼·R. 查斯坦特上尉
第一海军陆战飞行联队,越南

爸妈:

你们的大儿子现在是美国海军陆战队的一名上尉了。我昨天刚刚晋升。参与选拔上尉的候选人共 1640 人,至今只有大约 50 人晋级。令我惊讶和高兴的是,我是 50 人之一。我的军衔生效日期是 1967 年 7 月 1 日,这意味着我实际上成为上尉已经有 3 个半月了。因此我还应该收到 3 个半月的补发薪资。这次晋升之后,我的年收入是 9000 美元。我单身,24 岁,大学学历,任海军陆战队上尉,拥有价值 1.1 万美元的证券资产。初涉世事,我的开局不算差,对吗?

据我所知,爸爸,你大概就是在我这个年纪结婚的。当时也正处于战争时期。我对父母生命中的那段时间真的知之甚少。你得找个时间给我讲讲你们当时的所做、所想,你们的计划和希望。

妈妈，很感谢你的所有来信。你担心你写的一些事情都是无关紧要的，我能理解，但这些事对我而言却至关重要。我很想了解你们在做什么或家里其他人在做什么，任何关于你们的消息都好。你无法理解这些"无关紧要"的事件在这里的重要性。它们能帮助我继续做个有教养的文明人。有一段时间，当我读你的信时，我是一个正常人。我不杀人，也不担心被杀。当我读你的信时，我身上没有装配枪支和手榴弹。我好像在和大卫一起滑冰，或者穿过百货公司去换一个灯罩。了解到自己家人非常安全，知道他们生活在一个安全的国家，真是太好了。这个国家的安全建立在数以千计的牺牲之上。

在菲律宾，我乘坐巴士沿着臭名昭著的巴丹死亡行军路线行进，路上经过了列着一排又一排白色十字架的墓地，成千上万的十字架。那是美国人的坟墓，被埋葬在菲律宾的美国人。我想到了日本、韩国、法国、英国、北非以及世界各地的美国人的坟墓。我为身为美国人而感到自豪，为身为海军陆战队员而自豪，为在亚洲作战而自豪。我要对那些在我之前离世的士兵负责，他们为世界安全，为人们能滑冰、能去百货商店换灯罩，做出了必要的牺牲。

妈妈,这些事情对我而言不是小事,相反,它们至关重要。比起我在做的事,这些才是真正重要的事。我希望你能继续写那些"无关紧要"的事,因为那是我最爱看的。

你的儿子
罗德

—— 信件 24

以全人类的名义

莫罕达斯·甘地致阿道夫·希特勒

1939 年 7 月 23 日

    1939 年 7 月,在德国入侵波兰引发第二次世界大战的两个月前,印度独立运动领袖莫罕达斯·甘地给阿道夫·希特勒写了一封信,"以全人类的名义"恳请他维护世界和平。一年后,世界动荡不安,他又写了一封措辞更有力的信。甘地不知道,他的两封信都没有被送到纳粹德国的领导人手中,而是被英国统治下的印度政府拦截了。甘地也不知道,1937 年末,在与政府特使爱德华·哈利法克斯勋爵会面时,希特勒曾建议英国人"刺杀甘地,如果这还不足以使印度国民大会屈服,那就刺杀一打国会的主要成员,如果这还不够,就杀 200 人,依此类推,你要明确地表示你是认真的"。

—— **信件正文**

1939年7月23日

沃尔塔

亲爱的朋友：

朋友们一直在敦促我以全人类的名义给你写信，但我拒绝了他们的要求，因为我觉得写任何信都是鲁莽失礼的。然而，直觉告诉我，不能患得患失，无论成效如何，我都必须向你发出这一呼吁。

很明显，如今你是世界上唯一能够阻止这场可能会让人类回退到野蛮状态的战争的人。你一定要为达成某个有价值的目标，付出如此高昂的代价吗？你会听从一个故意回避战争方法，却仍然取得了不少成就的人的呼吁吗？无论如何，如果我不该写信给你，希望你能原谅我。

我一直是，
你真诚的朋友
M.K. 甘地

* * *

1940年12月24日

沃尔塔

亲爱的朋友：

我以朋友的身份称呼你，并非出于礼节。我没有任何敌人。在过去的33年里，我的事业就是与人们交朋友，争取全人类的友谊，不分种族、肤色或信仰。

我希望你有时间且愿意了解，在普遍友谊学说影响下的相当一部分人是如何看待你的行为的。我们毫不怀疑你的勇气和对祖国的忠诚，也不相信你是对手们所描述的怪物。但是，你自己的著作和声明，以及你的朋友和崇拜者所写的东西，让人不得不确信你的许多行为是非常可怕的，与人类的尊严并不相称，尤其是对像我这样相信普遍友谊的人而言。你对捷克斯洛伐克的羞辱，对波兰的"强奸"和对丹麦的吞并，种种行为令人发指。我知道，根据你的人生观，这种掠夺行为应被视为美德。但是我们从小就被教导，应将它们视为有辱人类尊严的行为。因此，我们绝不可能祝愿你的军队胜利。

不过,我们的立场是独一无二的——我们抵制纳粹主义,同样也抵制英帝国主义。要说有任何差异,那就是在抵制的程度上。五分之一的人类已经通过各种不忍细究的手段被英国踩在脚下。我们抵制它,并不意味着要伤害英国人民。我们力求改变他们,而不是在战场上打败他们。我们对英国的统治进行非暴力不合作运动。但无论是否能改变他们,我们都决心通过非暴力不合作的方式使他们无法统治。这是一种在本质上无懈可击的方法。这种方法基于这样的认识,即如果受害者在一定程度上不合作,无论是自愿的还是强制性的,任何掠夺者都无法达到目的。我们的统治者可以拥有我们的土地和身体,但无法控制我们的灵魂。只有彻底摧毁每一个印度人,包括男人、女人和小孩,他们才能让我们合作。确实,不是所有人都能上升到那种英勇的程度,恐惧能使反抗者屈服,但那是无关紧要的。因为,如果在印度有相当数量的男人和女人宁可献出自己的生命也不愿向掠夺者屈膝,同时对掠夺者也没有任何恶意,那么他们就指明了一条摆脱暴政、通往自由的道路。请你相信我,你会在印度发现数量惊人的这样的男人和女人。过去的20

年里,他们一直在接受这种培训。

  过去半个世纪以来,我们一直在努力摆脱英国的统治,独立运动从未像现在这样,如此接近成功。最强大的政治组织(我是指印度国民大会)正在试图实现这一目标。通过非暴力不合作的手段,我们已经取得了相当的成就。我们正在摸索正确的方法来打击英国势力,他们代表着世界上最有组织的暴力行为。你的所作所为与他们不相上下。至于德国和英国哪个组织得更好,还有待观察。我们知道英国的铁蹄对我们和世界上的非欧洲民族意味着什么。但我们永远不会希望在德国的援助下结束英国的统治。我们在非暴力不合作中发现了一种力量,如果组织起来,它无疑可以与世界上所有最暴力的力量加在一起相抗衡。正如我之前所说,采用非暴力不合作的方法永远不会失败。同样是"决一死战",非暴力不合作运动却不涉及杀戮或伤害,而且不需要钱,不需要由科学支持的破坏手段(你们在这方面的技术已经炉火纯青),就可以实行。令我惊讶的是,你没有意识到,任何人都无法垄断由科学支持的破坏手段。如果英国人没做到,其他力量也一定会以你的战略为基础进行改进,用你自己的武器打败你。你没有给人民留下会让他们感到自豪的遗产,他们不会为吟诵残忍的事迹而感到骄傲,无论它们策划得多么巧妙。因此,我以全人类的名义呼吁你停止战争。请将你与英国之间的所有争议事项提交给你们共同选择的国际法庭,这么做你不会有任何损失。如果你在战争中取得胜利,并不能证明你是对的,只会证明你的破坏力更强,而公正的法庭的裁决将尽人力所能去证实哪一方的诉求更合理。

你知道,不久前我曾呼吁所有英国人接受我的非暴力不合作运动。我这样做是因为英国人认为,我虽然是叛逆者,但也是朋友。我对你和你的人民来说都是陌生人。我没有勇气像对英国人那样向你们呼吁。我并不是说这对你们和对英国人不会有相同的效力,只是我目前的提议更简单,因为它更加实际、更为人们所知。

在欧洲人民渴望和平的时节,我们甚至暂停了自己为和平所做的斗争。我这双对大众声音很敏锐的耳朵,听到了数百万欧洲人无声地呼喊着和平,在一个对你个人而言可能毫无意义,但对他们却意义重大的时刻,要求你为和平做出一些努力,应该不算过分吧?我本来打算向你和墨索里尼先生同时发出呼吁,我在访问英国期间作为圆桌会议代表曾在罗马有幸见过他。我会对上述内容做出必要的改动，希望他也能听到我的呼吁。

你真诚的朋友

M.K. 甘地

—— 信件 25

含[1]的子孙

M.W. 萨德勒致《自由民》报纸

1898 年 7 月 30 日

1898 年 7 月 1 日,西班牙士兵和古巴士兵想要在埃尔卡尼战役中占领古巴的圣地亚哥并击退美国军队。他们的努力没有成功,在准将亨利·韦尔·劳顿的带领下,美国最终取得了胜利。几周后,由于没有在出版物中看到这场战役的报道,一位参与击败西班牙人的名叫 M.W. 萨德勒的士兵写信给《自由民》报纸,骄傲地炫耀他所在兵团的成就。

---

1. 含(Ham),《圣经》人物,挪亚之子。相传为非洲人与亚述人的祖先。

—— **信件正文**

1898 年 7 月 30 日

敬爱的先生：

我想提请您注意美国第二十五步兵团在迫使圣地亚哥投降过程中扮演的英勇角色。我们部队没有随队记者，看起来也没有人替我们发声。

我们部队的士兵以石为枕、用手垫头睡了半夜。7月1日早晨，我们迎着朝霞醒来，没有任何食物。我们排成一队前进，经过了半天的艰苦跋涉，成功抵达埃尔卡尼的血腥战场。我们是所属兵团的最后一支军队。行军路上，我们遇到了几队身穿白衣的战友，他们正在从这个西班牙要塞往回撤退。返程的士兵们对正在向前行进的我们说："再前进也没有用。西班牙人待在易守难攻的堡垒里，你们去了只有死路一条。"但是，我们部队的勇士们仍然毫不犹豫地继续向前线挺进。

几分钟后，我们到达了目标位置。由 C、D、G 和 H 连士兵组成的第二十五步兵团的第一部队受命排在最前线进行射击，虽然其他军队指挥官比我们的指挥官级别更高,但是我们还是优先于其他军队上阵。命令一响,我们就开始行动了。敌人在向北约900米处,2000名敌兵被坚固的石凿防御工事围住,几座石砌堡垒之间竖着防护墙,而我们部队共有507人。我们在丛林和沟壑的掩护下前进了大约200米。接着,艰难的时刻到来了。我们来到一片毫无遮掩的战场,敌人开始从坚固的防御工事里朝我们开火,无数躲在棕榈树和其他地方的神枪手向我们发射子弹……

我们的人开始倒下,许多人再也没能站起来,然而,我们稳步向前推进,射击非常高效,以至于西班牙人开始变得焦躁不安,朝我们乱打一气。当他们看到我们是"有色人种士兵"时,就知道厄运已经注定。他们不敢把头探出防御工事的上边沿,因为每冒出一个头,西班牙士兵就少一个。

我们继续前进,直到距离防御外墙约136米处;接着听到了庄严的命令:"冲锋!"每个人都站起身来,径直向前冲,越过铁丝网,打了进去。第二十五步兵团占据了最具优势的位置。

军官们死伤惨重,C连不得不由军士长S.W.塔利亚费罗指挥,他英勇地接过了他的军衔委以他的责任……连队的指挥官在行动刚开始时就被炸弹炸伤了。

如今，我们的同胞应该看到，我们的父辈在20世纪60年代所表现出的冷静和勇敢的精神已经传给了他们生于20世纪90年代的孩子。如果有任何人怀疑有色人种士兵是否适合上战场，那么在步枪射击、炮火轰鸣、炮弹爆裂、大地颤抖的时刻，请他去问第二十四和第二十五步兵团、第九和第十骑兵团的指挥官们吧，去问问劳顿将军、肯特将军和惠勒将军，这些兵团隶属于他们的军队。

西班牙人称我们为"黑鞋底"，还说向我们开枪是没有用的，因为钢铁和火药无法阻止我们。我们只希望同胞兄弟们也能过来，帮助我们向世界证明，真正的爱国主义就在含的子孙心中。我们需要一些黑人领导者来创造战争纪录，这样他们的名字就可以载入史册，我们用鲜血所付出的代价将得到回报。

M.W. 萨德勒

D 连军士长

第二十五步兵团

—— 信件 26
一切都要完了
玛莎·盖尔霍恩致埃莉诺·罗斯福

1938 年 3 月

在长达半个多世纪的辉煌的职业生涯中，著名战地记者玛莎·盖尔霍恩周游了全世界，报道了众多战争冲突，包括西班牙内战、冷战，以及大多数其他战争。1936 年 12 月，在佛罗里达州基韦斯特一家名为"邋遢乔"的酒吧里，她遇到了作家欧内斯特·海明威并爱上了他。几个月后，他们决定一起前往西班牙，她将在那里为《科利尔》杂志报道西班牙内战。1938 年 3 月，他们在迈阿密度假结束后返回西班牙的途中，盖尔霍恩写信给她的朋友、第一夫人埃莉诺·罗斯福，谈及她对欧洲局势感到焦虑不安，并正确地预测了一年后的另一场世界大战。

—— **信件正文**

1938年3月

皇家游轮玛丽皇后号

亲爱的R夫人：

我想见你，一直希望你在华盛顿，我可以去那里，结果你去西部了。周日晚上，我在圣路易斯决定乘船离开，周三早上起航，这样一来，反正也没有时间做任何其他事情了。

从西班牙传来的新闻真可怕，太糟糕了，我觉得我必须回去。一切都要完了……我想去那里，追随那些反法西斯主义者。如果战争有幸存者，我们可以带他们去捷克斯洛伐克，过上美好的生活。眼见下一场世界大战离我们越来越近，我感到很无助，愤怒得发狂。我认为自1918年以来，三个民主国家在历史舞台上没有发挥应有的作用（我国也和它们一样有罪）。最近英国政府的行为超出了人们对可耻、虚伪、无能的政府的想象，但我国和法国也没做多少了不起的事。即将到来的战争将以同样的方式进行：年轻人会死,最优秀的人会先死,年长而有权势的人会活下来,而他们无法维护和平局势。生活中我所在乎的一切,在战争中都是无稽之谈。我爱的所有人都将英年早逝,留下未竟的事业。我相信民众也有责任,他们无知、恐慌、懒散,但最初的错误不是他们造成的。他们什么也控制不了,对虚假信息和误导全盘接收,之后他们可以用自己的生命为代价去抹除他们所犯的错误。

我不相信我们之中任何人当下所做的任何事情是有用的。我们只是不得不这样做。写文章、做演讲,希望有人能听见和理解。如果他们听见了,也理解了,那又如何。全世界都要承受《我的奋斗》的作者即将带来的毁灭,而这个人连半页纸的话都写不清楚。

我希望能够见到你,不过你不会太喜欢我的。我已经愤怒到骨子里了,我恨眼前的一切。我知道西班牙是什么情况,因而我也可以清晰地看到其他地方会怎样。我想,也许现在唯一一个你不必思考,只需要用身体去(徒劳地)对抗你讨厌的东西的地方,就是前线了。不过这么做也没什么用处……西班牙的战争只是一类战争而已,下一场世界大战将是我们这个时代最愚蠢、最虚假、最残酷的一次背叛。原谅我写了这封义愤填膺的信,我写不出任何其他的东西了。

               爱你的

                马蒂

—— 信件 27

我已在此为国奋战

约翰·杜斯伯里致他的母亲

1916 年 9 月

1916 年 7 月 1 日，英法士兵在法国北部向德国军队发起进攻，打响了索姆河战役。这是第一次世界大战期间尤其惨烈的四个半月，300 万士兵为他们的国家而战，其中成千上万的人战死沙场。仅开战第一天，就有近 2 万名英国士兵阵亡。约翰·杜斯伯里是一名来自东约克郡的 25 岁的下士，在舍伍德森林步兵团第二营服役。1916 年 9 月 13 日上午，他和战友们的任务是攻击被称为"金奇四边形"的德国战壕。杜斯伯里身中数枪。临终前，他给母亲写了一封信。经过了好几个月的悲痛之后，他的母亲终于收到了这封连同其他遗物一起寄到的信。

—— **信件正文**

亲爱的母亲：

我在写这封信时已经受了重伤。我们的营队干得不错，向前推进了大约 1.2 公里。我正躺在一个弹坑里，臀部和背部有两处伤口。我不能动，也不能爬。我已经在这里待了 24 小时，一个活人都没见到。我希望您能收到这几句话，我对于有人能来把我带走不抱什么希望了，不过，您要知道，我已经在此为国奋战 1 年 8 个月，能在履行职责时死去，我感到十分高兴，希望这能为您带来些许安慰。

务必向自我到这里以来所有对我非常好的表兄弟们、向亚瑟和哈利以及所有斯温弗利特的人致以最诚挚的爱。亲吻并拥抱您。

—— 信件 28

睡个好觉,我的爱人
布赖恩·基思致戴夫

日期未知

1940年6月,也就是第二次世界大战开始后不到一年,意大利与纳粹德国联手,导致战争蔓延到北非,直到1943年5月盟军获胜,北非的战争才终于结束。五个月后,驻扎在北非的两个士兵相遇、相知,想象着有朝一日能一起回家,可惜这个愿望没能实现,因为只有布赖恩一人踏上了回家的旅途。离开战场很久之后,他写下了这封信,纪念他第一次听到爱人的声音。这封信刊登在1961年9月版的《一》杂志上。这是一本开创性的、支持恋爱自由的杂志,于1953年首次出版。

―― **信件正文**

亲爱的戴夫：

这封信是为了纪念我们相遇一周年——1943年10月27日，在北非，我第一次听你唱歌。那首歌让我想起了我所有最快乐的时光。美国士兵演艺团的回忆——防空气球制成的帘子——可可罐做的聚光灯——排练到深夜——还有一个英俊的男孩，拥有美妙的男高音歌喉。卡纳斯特尔一家剧院的开幕之夜——也许是麝香葡萄酒喝多了点，还遇到了知己。在奥兰美丽而庄严的市政歌剧院里演出的那些激动人心的日子——一个误解——在舞台侧面，开幕合唱前一刻，明白对方的心意。

金鸡酒吧的酒——旅店餐厅的晚餐——一枚戒指和一个承诺。第一装甲师的演出——麝香葡萄酒、苏格兰威士忌、红酒——不得不把某个人从卡车里抬下来，放进帐篷睡觉。倾盆大雨的夜晚，非洲平原的一棵孤树下，两个淋得透湿的美国兵。一辆借来的法国敞篷车——温暖的硫黄泉，凉爽的地中海，只有配额食物和热可乐的野餐。两个中尉，聪明到能读懂乐谱，但又不够聪明，没有意识到我们想要独处。一个古怪的钢琴演奏者——比赛——悲惨的白天和孤独的夜晚。在一个寒冷的夜晚，风很大，我们爬进一个美国军队剧院的窗户，在后台的简易小床上拥抱着睡着了——当我们醒来，意识到我们竟然神奇地没有被发现时的震惊。开快车前往海边的一处悬崖——拍摄照片，葡萄园里，在紫色葡萄和藤叶阴凉下停留片刻。

我们被告知可以准备回家时的快乐——当我们得知不能一起回去时的痛苦。非洲星光熠熠的、天鹅绒般漆黑的夜空下，一片僻静的海滩上的道别，我站在海堤上，看着你所在的车队消失在地平线，眼泪止不住地流下脸颊。

我们发誓我们会"回家"再聚首，但是命运早已注定——你未曾回家。那么，戴夫，我希望，无论你身在何处，这些回忆对你来说都和它们对我一样珍贵。

晚安，睡个好觉，我的爱人

布赖恩·基思

PERMISSION CREDITS

Every effort has been made to trace copyright holders and obtain their permission for the use of copyright material. The publisher apologises for any errors or omissions and would be grateful if notified of any corrections that should be incorporated in future reprints or editions of this book.

LETTER 1 Copyright © 2012, The Kurt Vonnegut Jr. Trust, used by permission of The Wylie Agency (UK) Limited. / From *Kurt Vonnegut: Letters* by Kurt Vonnegut, edited by Dan Wakefield Published by Vintage Classics Reprinted by permission of The Random House Group Limited. © 2013 / 'Letter: November 28, 1967' from *Kurt Vonnegut: Letters* by Kurt Vonnegut, edited by Dan Wakefield, copyright © 2012 by The Kurt Vonnegut, Jr. Trust. Used by permission of Delacorte Press, an imprint of Random House, a division of Penguin Random House LLC. All rights reserved.

LETTER 4 Frederic Krome, 'The Wartime Letters of Rabbi Morris Frank, 1944–1945,' *American Jewish Archives Journal* LIV, no. 2 (2002): 71–87. Original letters are held at The Jacob Rader Marcus Center of the American Jewish Archives (AJA), Cincinnati, OH, SC-15430.

LETTER 8 'Letter by Eleanor Wimbish' from *Dear America: Letters Home From Vietnam*, edited by Bernard Edelman. Copyright © 1985 by The Vietnam Veterans Memorial Commission. Used by permission of W. W. Norton & Company, Inc.

LETTER 12 Canute Frankson letter reproduced by kind permission of Abraham Lincoln Brigade Archives.

LETTER 15 Reprinted by kind permission of Gail Mann, Elmore Publishing.

LETTER 16 Tom O'Sullivan letter from *War Letters: Extraordinary Correspondence from American Wars* (New York: Scribner, 2001) edited by Andrew Carroll. Reprinted with permission.

LETTER 18 Reprinted by kind permission of Staffordshire Regiment Museum.

LETTER 21 Letter – May 31st 1942 by Evelyn Waugh. Copyright © 1942, The Estate of Laura Waugh, used by permission of The Wylie Agency (UK) Limited.

LETTER 23 'Letter by Rodney Chastant 19 October 1967', from *Dear America: Letters Home From Vietnam*, edited by Bernard Edelman. Copyright © 1985 by The Vietnam Veterans Memorial Commission. Used by permission of W. W. Norton & Company, Inc.

LETTER 26 By kind permission of Dr Alexander Matthews, literary executor for the Martha Gellhorn estate.

企 鹅 图 书
Penguin Books

出品人 **赵轩**
策划编辑 **郭宇萌**
营销编辑 **刘芸倩 赵亦南**
设计师 **索迪**